HANES GWOBR GOFFA
LADY HERBERT LEWIS

Hanes Gwobr Goffa Lady Herbert Lewis

1955–2018

PRYDWEN ELFED-OWENS

ISBN 978-1-912173-24-2

Argraffwyr:
Gwasg y Bwthyn, Caernarfon
gwasgybwthyn@btconnect.com

CYFLWYNAF Y GYFROL HON
ER COF AM FY NHAD,
Y PARCHEDIG HUW D. WILLIAMS,

A

MISS NORAH ISAAC,
YR UNIG FERCH ERIOED I'W HANRHYDEDDU'N
GYMRAWD YR EISTEDDFOD GENEDLAETHOL,
FEL GWERTHFAWROGIAD O'U DYLANWAD
A'U HYSBRYDOLIAETH

RUTH HERBERT LEWIS

Ein goleuo ag alawon, â cherdd
a chainc a chaneuon,
a thôn a thiwn a wnaeth hon
yn heulog, hael o'i chalon.

Jim Parc Nest

CYNNWYS

CYFLWYNIAD

Mewn sgwrs dros botel o win yn Eisteddfod Genedlaethol Ynys Môn, 2017, gofynnwyd i mi, fel cyn-Lywydd Llys yr Eisteddfod, pwy oedd y Llywydd cyntaf. Ni wyddwn ond fe es ati i chwilio am yr ateb. Wrth wneud hynny, sylweddolais nad oedd rhestrau prif swyddogion nac enillwyr prif wobrau'r Eisteddfod yn bodoli'n gyflawn. Dysgais fod gwybodaeth fratiog ar gof rhai o bobl y Pethe, ac er bod rhai manylion i'w cael mewn cyhoeddiadau yma a thraw ac ar ambell wefan (megis un y BBC, 'Canrif o Brifwyl': http://www.bbc.co.uk/cymru/canrif/), nid oedd dim ar gael yn gyflawn. Llwyddais, gyda chymorth, i gwblhau rhestrau llywyddion, cymrodyr ac archdderwyddon. Hefyd, cwblheais restrau o enillwyr rhai o'r prif gystadlaethau ers eu cychwyn: y Gadair a'r Goron (o 1880 ymlaen), y Fedal Ryddiaith (1937) a gwobrau coffa David Ellis (Y Rhuban Glas, 1943), Osborne Roberts (1951), Lady Herbert Lewis (1955), Llwyd o'r Bryn (1963), Daniel Owen (1978) a Lois Blake (1979). Gyda mawr foddhad, trosglwyddais y rhestrau hyn i ofal yr Eisteddfod. Mae nifer ohonynt ar gael bellach yn yr adran 'Enillwyr yr Eisteddfod' ar wefan yr Eisteddfod Genedlaethol, ond nid yw pob un yno eto, ac ymhlith y rhai nad ydynt yno hyd yn hyn y mae rhestr enillwyr Gwobr Goffa Lady Herbert Lewis, y wobr ar gyfer unawdydd canu gwerin dros 21 oed.

O ganlyniad i'm gwaith, derbyniais wahoddiad gan Dr Rhiannon Ifans, Ysgrifennydd Cymdeithas Alawon Gwerin Cymru, i lunio erthygl ar Wobr Goffa Lady Herbert Lewis ar gyfer *Canu Gwerin*, cylchgrawn blynyddol y Gymdeithas. Gan mai dim ond rhestr o enwau'r enillwyr oedd gennyf, penderfynais fynd ati i ymchwilio i fywyd, gwaith a dylanwad Ruth Herbert Lewis. Yn sgil hynny,

9

ymwelais hefyd â'i theulu ym Mhlas Penucha, Caerwys. Sylweddolais nad oedd gennyf fawr ddim i'w ychwanegu at yr wybodaeth a gaed yn y cyhoeddiadau academaidd oedd yn bodoli'n barod. Cyfeiriaf yn bennaf at yr erthyglau manwl a diddorol ar ei hanes a'i gweithgarwch gan E. Wyn James o Brifysgol Caerdydd a Wyn Thomas o Brifysgol Bangor. Rhennais fy mhryder â Rhiannon Ifans ac o ganlyniad, yn hytrach na llunio erthygl, fe'm gwahoddodd i gyflwyno sgwrs ar y Wobr Goffa yng nghynhadledd flynyddol Cymdeithas Alawon Gwerin Cymru, 2018, yn y Llyfrgell Genedlaethol yn Aberystwyth.

Gofynnais i rai o'r cyn-enillwyr ymuno â mi yn y gynhadledd i ganu eu caneuon llwyddiannus ac i rannu eu profiad o'r gystadleuaeth. Yn dilyn hynny, deilliodd y syniad y byddai croniclo stori pob un o'r 64 enillydd yn fenter y byddai'n werth ymgymryd â hi, er mwyn dod â'r rhestr yn fyw a chadw eu hanes ar gof a chadw. Anfonais at y cyn-enillwyr gan ofyn iddynt fanylu ychydig ar y cwestiynau a ganlyn:

- I ba fro yr oeddynt yn perthyn?
- Eu cefndir, eu magwraeth a'u galwedigaeth?
- Beth a phwy a'u denodd i fyd canu gwerin?
- Pwy a'u hyfforddodd a pha dechnegau a hogwyd?
- Pa ddwy gân gyferbyniol a ddetholwyd ganddynt ar gyfer y gystadleuaeth a pham?
- Pwy oedd y beirniaid?
- Beth oedd arwyddocâd y profiad o ddod i'r brig ar y brif gystadleuaeth hon?
- Oes lle i ganu gwerin ar lwyfan y Brifwyl?
- Beth yw eu barn am y sîn canu gwerin yng Nghymru heddiw?
- Beth yw eu gobeithion am ddiogelu'r traddodiad canu gwerin i'r dyfodol?

Rhaid pwysleisio nad wyf yn arbenigo ym maes canu gwerin. Fodd bynnag, fel un a chanddi ddiddordeb oes yn y Pethe, ac un sydd wedi ei thrwytho mewn dawnsio gwerin Cymreig, mae gennyf hefyd ddiddordeb greddfol mewn canu gwerin. O'r herwydd, euthum ati i gynnal f'ymchwil, gan dynnu hefyd ar fy mhrofiad dros chwarter canrif yn arolygydd arweiniol ysgolion i Estyn ac Ofsted. Cyfrifaf fy hun yn freintiedig imi allu ymweld â llu o ysgolion yn ystod y cyfnod hwnnw. Bu'n gyfle gwerthfawr i arwain tîm ac i ymuno â staff a phlant er mwyn adnabod curiad calon eu hysgol – eu cymuned. Ys dywedodd Norah Isaac, 'Wynebir athro gan gymdeithas o feddyliau ir am oriau cyson beunydd. Ymddiriedir iddo grewyr cymdeithas y dyfodol a chrewyr hanes ei genedl' (*Credaf*, gol. J. E. Meredith, 1943, t. 48). Drwy'r profiadau hyn, datblygais sgiliau ymchwilio, gwrando, arsylwi, cwestiynu, casglu tystiolaeth, dadansoddi, mesur a phwyso, ffurfio barn a llunio argymhellion. Sail i'r cwbl oll oedd parch tuag at yr unigolyn, boed oedolyn neu blentyn, a chadw meddwl agored. Cefais fy swyno ar hyd pob siwrne gan ryfeddodau bychain godidog. Ys dywedodd William Blake (yng nghyfieithiad T. Gwynn Jones):

> Gweled nef ym mhlygion blodyn,
> Canfod byd mewn un tywodyn,
> Dal mewn orig dragwyddoldeb,
> Cau dy ddwrn am anfeidroldeb.

Fel hyn, felly, yr es ati i lunio'r gyfrol hon, er mwyn dod i adnabod curiad calon Ruth Herbert Lewis a phob un o'r enillwyr, 'fel y cadwer i'r oesoedd a ddêl y glendid a fu' (Saunders Lewis, *Buchedd Garmon*, 1937).

Roedd rhai materion ynglŷn â Ruth Herbert Lewis yn fy niddori'n fawr, a rhai ohonynt yn bur anodd i'w canfod, sef:

- Ym mhle y claddwyd hi?
- Sut un oedd Ruth drwy lygaid ei theulu?
- Beth oedd ei henw yng Ngorsedd ac ym mha Eisteddfod y'i hanrhydeddwyd?
- Pam na chyfeirir at ei gwobr fel Gwobr Goffa Lady **Ruth** Herbert Lewis?

Gyda diolch i'w theulu ac i Adran Mynwentydd Sir y Fflint, medrais osod tusw o gennin Pedr ar y bedd lle gorwedd Ruth a'i gŵr, Syr John

Herbert Lewis, ym mynwent Y Ddôl, Afon-wen, nid nepell o'i chartref. Mynwent fechan ddigon di-nod yng nghanol y wlad ydyw, a charped o eirlysiau cain drosti yn eu tymor . Yma hefyd yn 1986 y claddwyd eu mab, Dr Herbert Mostyn Lewis ac, yn 1987, ei wraig, Gwen.

Un o agweddau mwyaf pleserus f'ymchwil oedd cyfarfod ag aelodau o deulu Lady Ruth a sgwrsio â nhw. Diolchaf iddynt am ymddiried ynof i rannu'u teimladau a'u hatgofion personol. Cynhwysaf lawer o'r deunydd a glywais ganddynt yn y gyfrol hon. Euthum i ymweld â Nest, wyres Ruth a Herbert, yn y cartref teuluol, sef Plas Penucha, Caerwys, hen gartref ei nain. Treuliais amser yn sgwrsio â hi wrth edrych ar luniau'r teulu a rhannu atgofion. Cefais 'demo' gan Paul Broadbent, mab yng nghyfraith Nest, ar yr union ffonograff gyda'r disgiau clai gwreiddiol a ddefnyddiodd Ruth Herbert Lewis i recordio'r caneuon gwerin ar ddechrau'r ugeinfed ganrif. Yna, bûm mewn cyswllt ffôn ac e-bost â gweddill yr wyrion, sef Olwen, Ruth a David. Rhoddodd hyn fewnwelediad diddorol imi o'u hargraffiadau fel plant bychain o'u nain. Deuthum i sylweddoli bod mwy i gymeriad Ruth nag sydd wedi'i gofnodi erioed o'r blaen. Deuthum i edmygu'n fwyfwy'r person unigryw y tu ôl i'r eicon o foneddiges. Dyma ferch gref ac iddi werthoedd dwfn, merch o flaen ei hamser. Drwy f'ymchwil, cefais fy hun yn uniaethu â Lady Ruth ar lefelau amrywiol, yn arbennig fel merch yn wynebu heriau bywyd cyhoeddus. Roedd ei mam, Alice, yn ferch i'r Parchedig Hugh Stowell Brown, gweinidog eglwys Fedyddiedig Myrtle Street, Lerpwl. Fe'i magwyd ar aelwyd Gristnogol a'i meithrin i fewnoli gwerthoedd personol. Roedd y rhain yn treiddio'i holl weithredoedd yng Nghymru, yn Llundain ac yn ehangach. Dyna'r argyhoeddiadau oedd yn amlwg yn sylfaen i'w bywyd ac sydd yn atseinio yn y pennill hwn o emyn gan E. A. Dingley, a gyfieithwyd i'r Gymraeg gan Nantlais – pennill a ddysgais innau'n blentyn wrth draed fy nhad:

> Rho imi nerth i wneud fy rhan,
> I gario baich fy mrawd,
> I weini'n dirion ar y gwan
> A chynorthwyo'r tlawd.

Nid hawdd oedd darganfod pryd y derbyniwyd Lady Ruth i Orsedd y Beirdd, unwaith eto oherwydd nad yw'r rhestrau'n gyflawn ac am mai bratiog yw'r wybodaeth hanesyddol ar gof gwlad. Cefais wybod gan Dr Rhidian Griffiths, Trysorydd Cymdeithas Alawon Gwerin Cymru, fod ei henw hi a'i gŵr yn digwydd mewn rhestr o aelodau'r Orsedd yn 1923–4. Enw Ruth yng Ngorsedd oedd *Caerwen* ac enw Herbert oedd *Caerwys*. Mae adroddiadau yn y wasg yn dangos eu bod yn aelodau o'r Orsedd er o leiaf 1909 ond, ysywaeth, ni lwyddais hyd yma i ddarganfod dyddiadau eu derbyn i'r Orsedd.

Mae'n amlwg o'm hymchwil fod Ruth yn wraig o flaen ei hamser ac, yn ôl ei hwyres Olwen, 'yn wraig ac iddi bresenoldeb naturiol o awdurdod'. Mae'n haeddu ei dathlu, nid yn unig am ei chyfraniad i ganu gwerin ond am ei gwasanaeth i'w chyd-ddyn ac i Grist. Roedd yn ferch eithriadol ac yn un o arwresau ei chyfnod. O ystyried hynny, cefais anhawster i ddeall pam na chyfeirir at ei gwobr goffa hi'r un fath â'r prif wobrau coffa eraill, e.e. Gwobr Goffa **David** Ellis, **Lois** Blake, **Daniel** Owen, **Osborne** Roberts. Y rheswm, mae'n debyg, yw mai'r teitl a ddefnyddid ar ei chyfer yn 'swyddogol' wedi i'w gŵr gael ei urddo'n farchog yn 1922 oedd 'Lady Lewis' neu 'Lady Herbert Lewis'. Ond rwy'n llawenhau o wybod y bydd Ruth Herbert Lewis yn cael ei chydnabod yn ei hawl ei hun, fel petai, o hyn ymlaen ac y bydd enillydd prif gystadleuaeth canu gwerin Eisteddfod Genedlaethol Sir Conwy, 2019, 65 mlynedd ers ei chyflwyno am y tro cyntaf, yn derbyn 'Gwobr Goffa'r **Fonesig Ruth** Herbert Lewis'. Dyma fydd y tro cyntaf y defnyddir ei henw'n llawn. Dyma gydnabyddiaeth deilwng gan un o'n prif sefydliadau diwylliannol i wraig nodedig a oedd mor ddylanwadol yn ei chyfnod. Cyflwynwyd y Wobr Goffa am y tro cyntaf yn Eisteddfod Genedlaethol Pwllheli yn 1955 gan fab Ruth Herbert Lewis, sef Dr Herbert Mostyn Lewis, ac i roi bri arbennig ar yr achlysur hanesyddol pan newidir yr enw, fe gyflwynir y tlws yn 2019 gan ferch Dr Mostyn Lewis, sef Ruth Facer, a alwyd yn Ruth ar ôl ei nain.

DIOLCHIADAU

Diolchaf i Dr Rhidian Griffiths, Trysorydd Cymdeithas Alawon Gwerin Cymru, ac i'r Athro E. Wyn James, Is-gadeirydd y Gymdeithas, am rannu'n hael ac yn amyneddgar o'u harbenigedd a'u gwybodaeth. Diolchaf i'r enillwyr bob un, ac i deuluoedd a ffrindiau'r rhai a'n gadawodd, am eu parodrwydd i rannu eu straeon. Maent yn haeddu clod am eu hymroddiad ac am gyrraedd y brig ym mhrif gystadleuaeth (y Rhuban Glas) alawon gwerin yr Eisteddfod Genedlaethol. Diolchaf hefyd i'r rhai a ganlyn am amryw gymwynasau: Carwyn John, Geraint Lloyd Owen, J. Elwyn Hughes, Jim Parc Nest, Lois Jones, Malcolm Lewis, Robin Gwyndaf, Siôn Aled Owen, Teifryn Rees, Paul Broadbent ac wyrion Ruth Herbert Lewis, sef Nest, Ruth, Olwen a David.

Cydnabyddiaeth y lluniau:
David Thomas, Cambrian Photography, Bae Colwyn; Keith Morris, Aberystwyth; Tegwyn Roberts, Llanbedr-goch; Mike Harrison, Gwaun Cae Gurwen.

Mae fy niolch yn fawr i'r holl gyfranwyr am eu parodrwydd a'u caniatâd i gynnwys eu lluniau, ynghyd â'r manylion perthnasol amdanynt, yn y gyfrol hon.

DADANSODDIAD

Yn 1914, dywedodd 'Mrs Herbert Lewis' yn rhagair ei llyfr, *Folk-songs Collected in Flintshire and the Vale of Clwyd*:

> Folk song collecting is not, however, the easy matter which to some it may appear. It is often difficult to find out the singers, and after they are discovered it is difficult to persuade them to yield up their treasure. I myself have been very fortunate in the help of many kind and interested friends ... Many of these old songs are in danger of perishing, and it is of great importance that they should be noted from the old people while they can still sing.

Dros gan mlynedd yn ddiweddarach, yn 2018, tebyg iawn oedd fy mhrofiad innau wrth roi'r gyfrol hon at ei gilydd. Gweithiais yn gyson ac yn ddygn am ddeunaw mis yn chwilota, fel gwiwer wallgofus yn turio am gneuen ym mhob twll a chornel posibl. Byddai'r dasg wedi bod gymaint anoddach oni bai fod bataliwn o gyfeillion a oedd yn berchen ar gneuen neu ddwy yn barod i'w rhannu! Felly, gallaf uniaethu â theimladau Ruth Herbert Lewis pan ddywedodd, 'Folksong collecting brings one into touch with some quaint and delightful old people; it takes one into beautiful places and brings one into association with a swiftly vanishing past'.

Yn 2000, yn ei gyfrol am Wobr Goffa David Ellis, gofynnodd R. Alun Evans gwestiwn rhethregol, sef pam y mae cyn lleied o wybodaeth wedi'i chroniclo am brif wobrau'r Eisteddfod Genedlaethol. Heddiw, er i'n byd lamu ymhell i'r oes dechnolegol, gofynnaf innau pam yr ydym yn parhau i sefyll yn yr unfan yn y mater hwn. Pam nad oes

17

manylion digidol cyflawn ar gael i ni a mynediad rhwydd atynt? Mae'n ddiddorol nodi i 'Mrs Herbert Lewis' ddefnyddio'r ffonograff, sef ffordd fwyaf cyfoes ei dydd, i recordio'r caneuon. 'This is not some new-fangled instrument of torture', meddai amdano. Tybed pam nad ydym ni heddiw'n cymryd mantais lawn o'r ffyrdd mwyaf cyfoes i gofnodi '[our] swiftly vanishing past'? Onid technoleg ddigidol gyfoes yw'r ffordd hawsaf o sicrhau bod gwybodaeth fel hyn ar gael ar wasgiad botwm? O'm profiad fel aelod o Bwyllgor Gwaith Cymdeithas Ddawns Werin Cymru am rai blynyddoedd a chadeirydd am chwech, gallaf dystio nad yr Eisteddfod yw'r unig sefydliad sy'n tramgwyddo. Ai'r rheswm am hyn yw diffyg diddordeb, diffyg arian neu ddiffyg gweledigaeth?

Wrth edrych ar yr holl wybodaeth y daethpwyd o hyd iddi am gystadleuaeth Gwobr Goffa Lady Herbert Lewis a'i henillwyr, daeth llawer o bethau diddorol i'r golwg. Yn drawiadol iawn, nid ataliwyd y Wobr yr un waith yn ystod 64 blynedd ei bodolaeth. Cafwyd 49 o enillwyr (hynny oherwydd i rai ennill fwy nag unwaith). Enillodd un dyn, Harry Richards, ac un ferch, Einir Wyn Williams, y wobr dair gwaith. Yn ôl pob tebyg, yn dilyn llwyddiant Einir Wyn am y drydedd waith yn 1982, ychwanegodd yr Eisteddfod reol newydd yn dyfarnu na châi unrhyw un gystadlu eto ar ôl ennill y gystadleuaeth ddwywaith. Ni nodir hynny yn y Rhestr Testunau erbyn hyn, ac mewn ymateb i'm cwestiwn am y sefyllfa bresennol, dywedodd Trefnydd yr Eisteddfod wrthyf nad yw'r rheol hon yn bodoli mwyach. Cytunodd fod angen codi ymwybyddiaeth am hyn. Enillodd deg o'r cystadleuwyr y wobr ddwywaith. Yn ddiddorol, enillodd canran uchel o'r rhain mewn eisteddfodau cymharol agos at ei gilydd. Enillodd dau wedi saib o naw mlynedd oherwydd galwadau teulu a/neu waith. Enillodd un o'r rheini drwy gystadlu yn Eisteddfodau Cenedlaethol Ynys Môn yn unig. Ysywaeth, rhwng 1991 a 2017, bu farw saith o'r 49 enillydd, sef Gwyneth Palmer, Madge Williams, Elfed Lewys, W. Emrys Jones, Andrew O'Neill, Anita Williams a Harry Richards. Mae eu henwau, eu hanes a helaethrwydd eu dylanwad yn parhau ar gof ac ar dafod leferydd. Yma, hoffwn unwaith eto ddatgan fy ngwerthfawrogiad o barodrwydd eu teuluoedd a'u cyfeillion i rannu eu hatgofion personol amdanynt ar gyfer yr oriel isod o enillwyr y Wobr Goffa. Daeth nifer o straeon difyr i'r golwg wrth i'r enillwyr hel eu hatgofion. Cofia un ohonynt gystadlu ar lwyfan y Brifwyl am hanner awr wedi naw'r bore o flaen cynulleidfa o bump a hynny'n cynnwys dau fabi, a'r ddau'n crio'n hidl! Erbyn hyn, mae prif gystadleuaeth adran canu gwerin y Brifwyl yn cael ei chynnal ar adeg fwy priodol ar y llwyfan!

Gofynnais i'r enillwyr nodi eu **man geni** a manylu, pe bai hynny'n berthnasol, ar y fro a gafodd fwyaf o ddylanwad arnynt. Ar gyfer y gyfrol hon, didolais yr wybodaeth yn ôl yr hen siroedd a oedd yn bodoli cyn 1974. Er i amryw ennill fwy nag unwaith, dim ond unwaith y cyfrifwyd eu man geni wrth weithio'r cyfansymiau a nodir yn y fan hon – a dyma'r sgôr: Caernarfon 9, Caerfyrddin 7, Dinbych 6, Morgannwg 6, Ceredigion 5, Maldwyn 5, Meirionnydd 5, Môn 3, Fflint 1, Mynwy 1, Penfro 1. Sylwer na anwyd yr un enillydd ym Mrycheiniog nac ym Maesyfed. Er i nifer helaeth symud o'u milltir sgwâr i ymgartrefu mewn lleoliadau newydd – y rhan fwyaf yng Nghymru – maent yn unfryd yn eu balchder ym mro eu mebyd a'u cariad tuag ati. Roedd sawl un yn awyddus i nodi union fan eu geni, pa mor fychan bynnag ydoedd y pentref hwnnw neu'r ardal honno. Diddorol hefyd oedd gweld y ffordd y ceid pocedi o lwyddiant ac arbenigedd mewn rhai ardaloedd gwledig, megis y cylch o gwmpas teulu Puw yn y Bala a'r hyfforddwyr yng Nghwmann ger Llanbedr-Pont-Steffan ac yn Llawr-y-glyn ger Llanidloes. Ys dywedodd Tudur Aled bum canrif yn ôl: 'Hysbys y dengys y dyn o ba radd y bo'i wreiddyn.'

O ran **galwedigaeth**, gweithiai 29 ohonynt ym myd addysg, fel athrawon, penaethiaid ysgolion, darlithwyr a swyddogion sirol. Roedd deuddeg yn ffermio, ac wyth yn perfformio'n broffesiynol. Mae saith yn parhau i weithio yn y cyfryngau, a dau yn gweinyddu. At hynny, ceir dau beiriannydd, un ffotograffydd, un cyfrifydd siartredig, un fancwraig, ac un myfyriwr. Braf nodi bod y traddodiad canu gwerin yn denu diddordeb ymysg amrediad eang o alwedigaethau. Mae'r enillwyr, yn enwedig y rhai sy'n hanu o froydd gwledig, yn unfryd yn eu gwerthfawrogiad o **ddylanwad eu cymdeithas** arnynt.

Cynigiant bortread clir o guriad calon eu bro o ran: *perthyn* i gapel, ysgol, a mudiadau fel yr Urdd a'r Ffermwyr Ifanc; *cystadlu'n rheolaidd* mewn eisteddfodau a gwyliau lleol a chenedlaethol; a *pherfformio'n gyhoeddus* fel unigolion, mewn parti neu mewn côr. Braf nodi dylanwad dwfn y bywyd traddodiadol Cymreig ar yr enillwyr. Trawiadol, hefyd, oedd deall bod nifer ohonynt wedi camu'n hapus ar lwyfan i berfformio'n gyhoeddus yn dair oed – am mai dyna oedd yr arfer. I ganran uchel ohonynt, roedd yr Ysgol Sul yn ddylanwad cryf ac yn aml dyma lle y gwelwyd hwy'n perfformio'n gyhoeddus am y tro cyntaf. Mae ganddynt oll atgofion melys o 'treading the boards' yn gyson mewn capeli ac eisteddfodau lleol. Awgrymir yn aml mai dyna oedd canolbwynt eu bywyd. Noda canran uchel ohonynt werthfawrogiad diffuant am yr hwb a'r gefnogaeth a gawsant gan eu rhieni, yn enwedig am eu gwaith tacsi! Wrth deithio o eisteddfod i eisteddfod ar benwythnosau, daethant yn ffrindiau gydol-oes â chystadleuwyr eraill. Yn sgil hynny, clywsant ganeuon ac arddulliau amrywiol a'u hysgogodd i gystadlu ymhellach ac i fod yn fwy uchelgeisiol. Cawsant gyfle hefyd i fagu hunan hyder yn y *rough and tumble* o ennill weithiau a cholli dro arall. Yn amlwg o'r ymatebion, roedd symud o lwyfannau lleol i lwyfannau rhanbarthol i lwyfannau cenedlaethol a rhyngwladol yn gamau datblygol naturiol. Mae eu gwerthfawrogiad o gyfraniad ysgolion, y capeli, yr Urdd, y Ffermwyr Ifanc, yr ŵyl Cerdd Dant, y Brifwyl ac Eisteddfod Gerddorol Ryngwladol Llangollen i'w datblygiad fel cantorion yn ddidwyll iawn. Nodant hefyd fod perthyn i gôr, a'r perfformio a'r cystadlu rheolaidd a oedd yn rhan o hynny, yn ddylanwad cadarnhaol iawn ac yn hwb i'w hunan hyder i gystadlu ar eu pennau'u hunain. Roedd ymddangos ar lwyfannau mewn gŵyl, cyngerdd neu eisteddfod; yn rhan annatod o fywyd y fro, ac yn ôl llawer o'r enillwyr, dyma fu'n bennaf cyfrifol am gadw canu gwerin yn fyw ac yn fyrlymus yn eu hardal.

Mae nifer ohonynt yn crybwyll dau berson a gafodd gryn ddylanwad arnynt, sef **Elfed Lewys a Meredydd Evans**. Mae rhai'n cofio perfformiadau unigryw Elfed Lewys o 'Trafaeliais y Byd' a 'Trafferth mewn Tafarn' ac effaith hynny arnynt. Er na ellir disgrifio ei lais fel un peraidd, canai o'r galon mewn arddull naturiol a gwerinol a oedd yn gwbl wefreiddiol. Dyma'r sbardun a symbylodd o leiaf ddau ganwr i fentro cystadlu am Wobr Goffa Lady Herbert Lewis. Mae'r enillwyr yn aml yn crybwyll yr enw 'Merêd', sef Dr Meredydd Evans. Roedd ef a'i wraig, yr Americanes Phyllis Kinney, yn arloeswyr dylanwadol iawn fel casglwyr a chantorion gwerin. Yn ei swydd fel pennaeth Adran Adloniant y BBC, bu Merêd yn allweddol o ran rhoi llwyfan i ddiwylliant gwerin ar y teledu mewn rhaglenni poblogaidd megis *Hob y Deri Dando*. Byddai ymddangos ar un o'i raglenni yn agor drysau pellach i'r perfformwyr. Yn ôl Margaret Williams, a aeth ymlaen i fod yn un o sêr disglair byd canu Cymreig, dyma a ddigwyddodd iddi hi. Yn amlwg, trosglwyddodd Phyllis a Merêd eu cariad at ganeuon gwerin i genedlaethau o gantorion. Ar nodyn personol, mae gennyf innau brofiad o'r cariad arbennig hwnnw a feddai Phyllis at y traddodiad gwerin. Bu i'n llwybrau groesi yn 1978. Wedi chwe blynedd o fyw yn y brifddinas a bwrw fy mhrentisiaeth yn Ysgol Heol y Celyn, Pontypridd, roeddwn ar fin dechrau mewn swydd newydd yn athrawes gerdd yn Abergele. Derbyniais wahoddiad i ymweld â Phyllis yn ei chartref. Yn ystod ein sgwrs, i'm helpu ar fy siwrne, derbyniais ganddi berlau amhrisiadwy ar ffurf nodiadau, llyfrau caneuon gwerin a syniadau byrlymus. Ar y pryd, cofiaf ryfeddu bod un mor adnabyddus a thalentog â hi'n fodlon rhoi'n hael o'i hamser a'i sylw i athrawes fach ifanc ddi-nod (ond brwdfrydig) fel fi. Diolchais iddi am fy ysbrydoli ac nid anghofiaf fyth yr hyn a ddywedodd: 'Derbyniais innau gymorth ac ysbrydoliaeth ar hyd y ffordd, a 'nhro i rŵan ydi gwneud yr un peth i ti'. Daeth hwn yn gonglfaen yn f'athroniaeth bywyd. Erbyn hyn, rwyf o'r farn fod y sawl sydd â gwir gariad at y Pethe – ac yn y cyswllt hwn, canu gwerin – yn fwy na pharod i rannu. Dyna, yn sicr, fy mhrofiad wrth imi baratoi'r llyfr hwn, wrth feddwl am yr holl gymorth hael a dderbyniais o sawl cyfeiriad.

Wrth ddarllen y sylwadau am yr **hyfforddwyr**, mae'n amlwg iddynt danio diddordeb yn yr enillwyr a'u hysbrydoli ac ennyn hyder ynddynt. Dyma unigolion a lwyddodd i drosglwyddo eu cariad at ganu gwerin i eraill. Mae llawer ohonynt yn enillwyr y Wobr Goffa eu hunain, yn arweinwyr corau, wedi derbyn hyfforddiant rhagorol, ac yn meddu ar gymwysterau o'r radd flaenaf. Yr hyn sydd yn gyffredin iddynt oll yw eu cariad at y Pethe, ac at ganu yn benodol, a'u hawydd i gadw'r traddodiad yn fyw drwy ysbrydoli cenhedlaeth arall. Yn ogystal â hyfforddwyr unigol, ceir enghreifftiau o deuluoedd lle bu'r aelwyd yn llawn sain a sŵn alawon Cymreig. Trosglwyddwyd hyn yn naturiol o genhedlaeth i genhedlaeth a llifodd y medr a'r diddordeb i wythiennau'r plant fel bod ganddynt lu o alawon gwerin ar gof.

Fel y disgwylid, mae **rhieni**'n amlwg yn yr ymatebion. Roedd tad un enillydd yn ei hyfforddi hi i ganu, tra oedd ei mam yn cyfeilio ar y piano. Yn achos eraill, roedd eu mamau'n hyfforddi, yn cyfeilio ac yn beirniadu'n genedlaethol. Roedd mam arall wedi ennill gwobrau cenedlaethol ei hun a'i thaid yn enillydd cyson ym maes alawon gwerin. Roedd rhieni un enillydd yn canu gyda Chwmni Opera Cenedlaethol Cymru, ei fam yn unawdydd broffesiynol nodedig, a hi a'i dysgodd i ganu cyn iddi farw'n ifanc. Ar y llaw arall, ni chafodd Harry Richards erioed hyfforddiant canu ffurfiol. Yn ôl pob golwg, ni allai ddarllen yr un nodyn, sol-ffa na hen nodiant. Fodd bynnag, roedd ganddo glust dda a chof penigamp. Byddai'n dysgu cân newydd drwy wrando ar yr alaw ar y piano, yna byddai'n ei dysgu drwy ymarfer o gwmpas y tŷ, yn y car ac wrth ei waith. Drwy hynny, dysgodd ei ferch nifer helaeth o ganeuon gwerin wrth wrando arno dros y blynyddoedd. Ni dderbyniodd pob enillydd hyfforddiant wyneb yn wyneb bob tro wrth baratoi i gystadlu. Yn hytrach, oherwydd pellter, byddent yn gwrando ar recordiad o'r canwr roeddent am ei efelychu ac yn gwrando ar y recordiad drosodd a throsodd er mwyn ymgyrraedd at y safon uchaf ar gyfer y gystadleuaeth.

Bu nifer o'r enillwyr yn ddiolchgar am y cyfle a gafwyd **yn yr ysgol** i fagu hyder drwy ganu unawdau'n rheolaidd o flaen cynulleidfa. Dywedodd rhai enillwyr iddynt ddatblygu diddordeb mewn canu gwerin drwy frwdfrydedd ac ysbrydoliaeth athrawon cerdd eu hysgolion uwchradd. Aeth nifer ymlaen i astudio cerddoriaeth mewn prifysgolion a/neu golegau cerdd. Ynddynt dysgasant dechnegau arbenigol ar sut i gynhyrchu'r llais ac anadlu'n gywir. Ymhellach ymlaen, a hwythau'n athrawon cerdd eu hunain, gallent gynnig cyngor amhrisiadwy a hyfforddiant arbenigol i'w disgyblion hwythau

– enghraifft o'r rhod yn troi. Derbyniodd nifer o enillwyr wersi canu gan berson y cyfeirient ati fel 'Madam'. Mae'n debyg mai ffasiwn oedd hwn a roddai dipyn o urddas i hyfforddwraig a oedd yn uchel ei pharch yn ei chymdeithas.

Diddorol oedd ymatebion yr enillwyr ynghylch **hanfodion canu gwerin**. Dyna feini prawf y beirniaid, fel petai, a nifer ohonynt yn beirniadu'n genedlaethol yn y byd gwerin, clasurol a cherdd dant. Credai sawl un ohonynt fod nodweddion cyffredinol i bob math o ganu, sef cyfathrebu gyda'r gynulleidfa ac ennyn eu sylw llawn; cyflwyno'r stori a'i datblygu; geirio'n glir; a chanu cywir. Er bod llawer o'r nodweddion yn gyffredin i bob math o ganu, gwelwyd gofynion technegol canu clasurol weithiau yn mynd yn drech na'r canwr gwerin. Dywed nifer ohonynt fod y profiad o ganu'n ddigyfeiliant yn un gwerthfawr o ran cadw traw, sy'n gymorth wrth ganu'n glasurol. Mae nifer yn credu, tra bo unawdau clasurol a cherdd dant yn eu cyfyngu o ran cywair ac amser, fod canu gwerin yn estyn iddynt y rhyddid i ddehongli. Maent yn mwynhau'r cyfle i roi eu stamp personol ar alaw ac ar eiriau i greu naws, megis hiwmor, hwyl neu hiraeth.

Mae rhai'n cofio **arddull ffasiynol y 1960au**, pan oedd canu sidêt yn mynd â hi. Byddai'r beirniaid bryd hynny'n chwilio, gan amlaf, am leisiau pur a oedd yn dilyn pob nodyn ac amseriad yn gywir, yn union fel y byddai wedi'i nodi ar y copi. Erbyn hyn, ceir mwy o bwyslais ar yr arddull werinol, ffwrdd-â-hi, ac mae'r beirniaid yn chwilio am fwy o naturioldeb a chanu o'r galon. Ceir derbyniad gofalus ymhlith yr enillwyr i'r syniad o gynnig rhyddid rhesymol i'r unigolyn fynegi a chyfleu stori'r gân oherwydd yr angen i gadw'n dynn at arddull naturiol, canu o'r galon a chadw ffurf a siâp yr alaw. Yn ogystal â hyn, mae ambell un yn cwestiynu a yw partïon a chorau sy'n canu dan gyfarwyddyd arweinydd yn gyson â'r traddodiad er eu bod yn anelu at naturioldeb gwerinol. Mae nifer yn cyfeirio at sut y byddai Elfed Lewys yn pwysleisio'r angen am naturioldeb ac yn sôn am ei fantra, sef canolbwyntio ar y galon, y stori a'r neges; canu o reddf; canu'n fwriadus i'r alaw; canu cap stabl bob tro yn hytrach na chanu'n rhy ffurfiol a chlasurol; a sicrhau datganiad anffurfiol a naturiol bob amser.

Mae Arfon Gwilym yn ei ddisgrifiad o ddehongliad Elfed Lewys o hanfodion canu gwerin yn dweud:

Ysbryd y perfformiad oedd yn bwysig i Elfed, ac nid y manion bethau. Roedd ganddo ddawn reddfol i ddidoli'r canwr gwerin go iawn oddi wrth y rhai oedd yn 'gor-berffeithio' a 'gor-gaboli' caneuon. Credai fod gor-baratoi yn peri i'r cantorion golli eu naturioldeb a'u naws byrfyfyr, anffurfiol. Byddai'n gas ganddo unrhyw rodres. Collai amynedd gyda beirniaid oedd yn craffu'n ormodol ar nodau a geiriau'r copi gan ddyfarnu nad oedd y perfformiad yn cyfateb yn berffaith â'r hyn a glywid gan y cystadleuydd.

Yn ôl sawl un, y benbleth fwyaf bob tro wrth baratoi ar gyfer y gystadleuaeth yw'r angen i ganu **dwy gân werin 'wrthgyferbyniol'**. Mae dewis dwy alaw sy'n cyferbynnu'n dda, yn enwedig ar gyfer merched, yn dasg anodd i rai. I nifer, mae'n rhwyddach dewis cân leddf, drist a llyfn na dewis un sy'n cyferbynnu iddi. Nid yw'r caneuon mwy hwyliog a'r rhai sydd ag angen cymeriadu yn gweddu i bersonoliaeth pawb. I eraill, cyflwyno'r stori i ddiddanu'r gynulleidfa sydd orau fel y credai'r diweddar Harry Richards, a ddywedodd: 'Mae ymateb y gynulleidfa yn rhan hanfodol o'r perfformiad, ac yn llinyn mesur i'ch llwyddiant fel diddanwr. Ochri at y digri a'r tynnu coes y bydda i'n bersonol'. I eraill, roedd y syniad o orfod dewis a pharatoi dwy gân wrthgyferbyniol yn lle un darn gosod yn apelio'n fawr. Un tro, yn wahanol i'r drefn arferol, dewisodd un enillydd alaw hapus a chyffrous yn gyntaf ac un drist i ddilyn. Soniodd eraill am y ffordd y byddai Merêd yn cynnig caneuon gwerin 'newydd' iddynt o'i gasgliadau. Dewisai rhai gân berthnasol i'w hardal, megis 'Cân y Cardi'. Dewisodd cantor arall 'Cariad Cynta', cân a ddysgwyd iddo gan ei fam ar ôl i'w lais dorri pan oedd yn fachgen ifanc. Er imi wahodd yr enillwyr i enwi eu *dwy* hoff gân, nododd un gantores ei *chwe* hoff gân, gan gyfiawnhau ei dewisiadau: 'Torth o Fara', 'Cwyn Mam yng Nghyfraith', 'Lleuen Landeg', 'Mynwent Eglwys', 'Y Deryn Du a'i Blufyn Sidan' a 'Tiwn Sol-ffa'.

Mae'n amlwg fod gan y cystadleuwyr gryn barch tuag at brofiad a barn **y beirniaid** a'u bod wedi gwerthfawrogi'r beirniadaethau amrywiol a gawsant fel ffordd i geisio'u gwella ei hunain ym myd y canu. Mae amryw o'r enillwyr yn nodi enwau'r rhai a fu fwyaf o gymorth iddynt. Cofia un enillydd ran o feirniadaeth Merêd pan ganmolodd ei dehongliad naturiol a di-ffws, sef ei hunion fwriad.

Cadwodd nifer o'r enillwyr y beirniadaethau a dderbyniasant a chofnododd eraill **y caneuon a ganwyd ganddynt** yn y gystadleuaeth hon. Hefyd, bu Llyfrgell y BBC yn ddiwyd iawn yn eu hymchwil. Er hynny, does dim sicrwydd fod pawb yn cofio'n gywir pa ganeuon a ganasant yn y gystadleuaeth. Er enghraifft, nodir bod un wedi canu 'Beth yw'r Haf i Mi?' yng nghystadleuaeth 1959 ond nid ysgrifennwyd y geiriau ar gyfer yr alaw (gan Amy a T. H. Parry-Williams) tan 1963! O'r holl ganeuon a ganwyd er 1955, y fwyaf poblogaidd oedd: 'Cwyn Mam yng Nghyfraith' (6 gwaith); 'Gwn Dafydd Ifan' (5); 'Adar Mân y Mynydd' (5); 'Trafaeliais y byd' (4); 'Hiraeth' (4); 'Y G'lomen' (4); 'Yr Eneth Glaf' (4). Ymysg y lleill, roedd 'Gwenni Aeth i Ffair Pwllheli', 'Lliw Gwyn Rhosyn yr Haf', 'Mynwent Eglwys', 'Angau', 'Gwn Dafydd Ifan' a 'Torth o Fara' o gasgliad Mrs Herbert Lewis, *Folk-songs collected in Flintshire and the Vale of Clwyd* (1914), ac 'Roedd yn y Wlad Honno' a 'Hela Llwynog' o'i *Second Collection of Welsh Folk-songs* (1934). Fodd bynnag, gan fod gwahanol fersiynau o rai o'r caneuon hyn, yn enwedig 'Mynwent Eglwys', mae'n amhosibl bod yn gwbl sicr beth oedd y ffynhonnell. Hefyd, mae llinell gyntaf rhai caneuon yn debyg, e.e. mae cân 'Y Ddau Farch' yn agor 'Pan Oeddwn ar Foreuddydd', ond mae 'Y Bore Glas' yn agor â'r llinell 'Pan O'wn i ar Foreuddydd'.

Yn dilyn ei lwyddiant, derbyniwyd enillwyr y gystadleuaeth yn aelodau er anrhydedd o **Orsedd y Beirdd** y flwyddyn ganlynol. Ystyriai pob un ohonynt hyn yn anrhydedd enfawr a oedd hefyd yn golygu llawer iawn i'w teuluoedd. Ar y dechrau, derbyniwyd yr enillwyr i'r wisg werdd ond newidiwyd trefn urddau a lliwiau'r Orsedd yn 2014. Penderfynwyd yr adeg honnno mai enillwyr y **prif** gystadlaethau yn unig fyddai'n derbyn y wisg wen o hynny ymlaen ac felly, er 2015, mae enillwyr Gwobr Goffa Lady Herbert Lewis yn derbyn y wisg wen a medal. Dywedodd un enillydd ei bod yn braf gweld bod y buddugol bellach yn derbyn y wisg wen fel cydnabyddiaeth gyhoeddus o werth a statws y gystadleuaeth.

Cafodd nifer o'r enillwyr gyfleoedd bythgofiadwy i **berfformio** gyda chorau, gan dderbyn gwahoddiadau i ganu mewn capeli ac i gymdeithasau Cymreig yn fyd-eang. Mae eu teithiau wedi cwmpasu neuaddau enwog dinasoedd mwyaf y byd, yn yr Unol Daleithiau, Canada. Seland Newydd, Awstralia, Patagonia, y Dwyrain Pell ac Affrica. Bu un yn perfformio ar fordeithiau operatig a chlasurol. Yng nghyfnod Merêd yn bennaeth adloniant y BBC, cafodd nifer o'r enillwyr gyfle i ymddangos ar raglenni teledu megis *Disc a Dawn*, *Tra Bo Dau* a *Hob y Deri Dando*.

Ceir gwerthfawrogiad unfrydol o'r cyfle i berfformio caneuon gwerin ar lwyfannau amrywiol **y Brifwyl** – yn y pafiliwn, ar lwyfannau perfformio'r maes ac, yn fwy diweddar, yn y **Tŷ Gwerin**. Mae'r cyfleoedd amrywiol hyn wedi llwyddo i ddenu cynulleidfaoedd newydd. Credai'r enillwyr oll fod lle pwysig i ganu gwerin digyfeiliant traddodiadol ar lwyfan y Brifwyl, er mwyn atgyfnerthu gwreiddiau'r traddodiad ac atgoffa'r genedl o'i hetifeddiaeth werinol. Dyma ffordd effeithiol o gadw'r traddodiad yn fyw a'i drosglwyddo i'r genhedlaeth iau. Mae'r ffaith bod dwy gân hunanddewisol yn ofynnol i'r gystadleuaeth hon yn sicrhau canu a gwrando ar amrediad o ganeuon. Nid yw'r cyfoeth cystal pan osodir darnau gosod. Ysbrydolwyd cyfansoddwyr nodedig fel William Mathias a Grace Williams i wthio'r ffiniau traddodiadol trwy gymysgu *genres*. Mae'r enillwyr ifanc diweddaraf wrth eu bodd gyda ffresni cerddoriaeth sy'n gymysgedd o'r traddodiadol a *genres* fel jazz neu ganu pop. Gwelant hyn yn gyfle i ddenu cynulleidfaoedd ehangach i fwynhau'n halawon gwerin traddodiadol. I'r perwyl hwn, mae'r enillwyr yn croesawu dyfodiad Tŷ Gwerin i faes y Brifwyl, lle perfformir amrediad o gerddoriaeth draddodiadol ac arloesol gan gerddorion poblogaidd a rhai dibrofiad o bob oed. Un o ganlyniadau cadarnhaol hynny yw fod bandiau gwerin ifanc yn blodeuo. Gwireddwyd gweledigaeth Merêd pan sefydlwyd Tŷ Gwerin dan arweiniad Siân Tomos pan oedd yn Gyfarwyddwr 'trac' (sef sefydliad datblygu traddodiadau gwerin Cymru). Trysoraf fy atgof, pan oeddwn yn Llywydd yr Eisteddfod, o gael anrhydeddu Phyllis a Merêd â Gwobr Anrhydedd Cymry'r Cyfanfyd yn 2007. Ys dywedodd Dafydd Iwan, yn ei deyrnged i Merêd pan fu farw yn 2015:

> Ysbrydolwyd sawl cenhedlaeth i ddysgu a chanu caneuon gwerin Cymraeg gan y gŵr rhyfeddol ac amryddawn hwn. Ac nid traddodiad marw oedd y traddodiad gwerin i Merêd, ond rhywbeth byw, i'w fwynhau a'i ddatblygu. Roedd wrth ei fodd yn gweld grwpiau gwerin yn cydio yn y traddodiad a'i addasu ar gyfer offerynnau ac arddulliau newydd. Gwyddai Merêd i'r dim mai diwylliant marw yw diwylliant sy'n gwrthod datblygu ac esblygu, ond gwyddai hefyd mai diwylliant ar goll yw diwylliant sydd heb wreiddiau.

RHAN 1

Cystadleuaeth Goffa Lady Herbert Lewis

(i) Hanes y gystadleuaeth gan Dr Rhidian Griffiths

Ruth Lewis oedd un o gasglyddion selocaf alawon gwerin Cymru yn hanner cyntaf yr ugeinfed ganrif, a'i gwaith yn amlwg nid yn unig o amgylch ei chartref ym Mhenucha, Caerwys, yn siroedd y Fflint a Dinbych, ond hefyd yn Nyffryn Teifi. Ar ben y gwaith casglu bu'n hyrwyddo'r caneuon trwy gyhoeddi dwy gyfrol ohonynt yn 1914 (*Folk-songs Collected in Flintshire and the Vale of Clwyd*) ac yn 1934 (*Second Collection of Welsh Folk-songs*), y ddwy wedi'u cyhoeddi gan gwmni Hughes a'i Fab, Wrecsam. Cafodd y gyntaf o'r rhain werthiant ardderchog, gan fynd i chwe argraffiad o leiaf.[1] Bu Ruth Lewis yn fawr ei sêl hefyd dros hawliau Cymdeithas Alawon Gwerin Cymru a hawliau casglyddion yr alawon, a bu'n dadlau eu hachos yn erbyn darlledwyr a mynnu breindal ganddynt. Bu'n Ysgrifennydd ac yn Llywydd diflino i'r Gymdeithas, ac nid yw'n syndod fod awydd i'w choffáu yng nghystadlaethau'r Eisteddfod Genedlaethol. Wedi'r cyfan, y Gymdeithas Alawon Gwerin a sefydlodd y cystadlaethau hyn, trwy gynnig gwobrau am gasgliadau o alawon gwerin yn 1910 ac 1911 a sefydlu cystadlaethau llwyfan yn 1916; a'r Gymdeithas fu'n rhoi arweiniad a chyngor i bwyllgorau lleol ar hyd y blynyddoedd.

Ond nid y Gymdeithas ei hun a symbylodd y cofio a'r cwpan arbennig a roddir yn wobr bob blwyddyn ers 1955. Mab Ruth Lewis, sef Dr Herbert Mostyn Lewis (1901–85), a gychwynnodd y symudiad, a hynny mewn llythyr a anfonodd at Bwyllgor Gwaith y Gymdeithas o'i gartref, Westwood, Gresffordd, ger Wrecsam, ar 29 Tachwedd 1953.

Nid yw'n esbonio pam yr oedd yn dewis gwneud ei gynnig ar yr union adeg honno, saith mlynedd wedi marw ei fam (efallai fod y bwriad wedi bod yn ei feddwl ers blynyddoedd) ond mae'n pwysleisio ei fod am ei choffáu mewn modd priodol:

> In memory of my mother, I should like to offer a first and second prize of the usual amount and a small challenge cup for competition each year at the National Eisteddfod for an unaccompanied solo rendering of two folk songs, the rendering to be as far as possible in the traditional style. While I do not wish to lay down any hard and fast rules, I would suggest that the adjudicators should pay particular attention to audibility of the words (a point on which my mother was particularly keen) and the keeping of strict time, unless the traditional method of singing the song allowed a variation from this. While the quality of the voice should be adequate, this should not be the primary consideration.[2]

Sylwn yn syth ar bwyslais Mostyn Lewis – geirio eglur ac amseru cyson oedd y prif feini prawf, nid ansawdd y llais; a gellir dirnad mai dyna fyddai meini prawf Ruth Lewis hithau, ac mai dyna'i dehongliad hi a'i mab o'r ymadrodd 'in the traditional style'. Cynhwyswyd yr ymadrodd 'yn y dull traddodiadol' gydag amodau'r gystadleuaeth yn aml, er nad bob tro. Sylwn hefyd fod Mostyn Lewis yn disgwyl i'r canu fod yn ddigyfeiliant. Y nod mae'n amlwg oedd cyflwyno dwy gân mewn dull mor syml a naturiol â phosibl.

Cyfeiriwyd cynnig Mostyn Lewis at y Gymdeithas Alawon Gwerin yn hytrach nag at yr Eisteddfod Genedlaethol am mai'r Gymdeithas yn y cyfnod hwnnw (ac am flynyddoedd wedi hynny) oedd yn cynnig rhestr o ddarnau addas ar gyfer cystadlaethau ac yn enwebu beirniaid, er bod pwyllgorau lleol yn rhydd i anghytuno ac i wneud dewis gwahanol. Cyflwynodd yr Ysgrifennydd, W. S. Gwynn Williams, gais Mostyn Lewis i Bwyllgor Gwaith y Gymdeithas yn ei gyfarfod yn Amwythig ar 9 Ionawr 1954, ac fe dderbyniwyd y cynnig 'yn ddiolchgar'. Y cyfle cyntaf i weithredu'r awgrym fyddai Eisteddfod Genedlaethol Pwllheli 1955, ac ym Mawrth 1954 sicrhawyd cytundeb y Pwyllgor Cerdd lleol i ychwanegu'r gystadleuaeth newydd hon at y rhestr.[3] Enwebwyd yn feirniaid Gwladys Morgan Jones a W. S. Gwynn Williams, a dyna ddechrau ar hanes anrhydeddus Cystadleuaeth Gwobr Goffa Lady Herbert Lewis, a gynhaliwyd yn ddi-dor o 1955 ymlaen. Y teulu a gyflwynodd y cwpan sydd yn dal i gael ei ddyfarnu i'r enillydd, a'r teulu, mae'n debyg, a ddewisodd y geiriad 'Cwpan Coffa Lady Herbert Lewis' sydd ar y cwpan ei hun.

Nid oedd awydd Mostyn Lewis i goffáu ei fam a'i gwaith yn y ffordd hon yn annisgwyl. Ef oedd yr ieuengaf o ddau blentyn priodas Ruth Caine a John Herbert Lewis, a chafodd ef a'i chwaer hŷn, Alice Catherine (1898–1984) (Kitty, Mrs Kitty Idwal Jones yn ddiweddarach) eu magu nid yn unig yn sŵn alawon gwerin Cymreig ond hefyd ym mrwdfrydedd a chyffro'r casglu ym mlynyddoedd cynnar yr ugeinfed ganrif. Mae'n arwyddocaol mai'r teitl a roddodd Kitty ar erthygl hynod ddiddorol lle mae'n crynhoi ei hatgofion am y blynyddoedd hynny yw 'Adventures in folk-song collecting' – roedd yn y gwaith ymdeimlad o antur iddi hi a'i brawd fel i'w mam. Disgrifia un daith gyffrous lle'r oedd ei mam yn cael ei thynnu rhwng ei chyfrifoldeb at y casglu a'i chyfrifoldeb at ei phlant:

> To illustrate some of the difficulties of folk-song collecting I am reminded of a winter afternoon in 1912 when mother, my brother Mostyn and I, with two of our friends, all packed into our mother's little governess cart and set out to visit a house in Trefnant, some six miles away, where a local singer had been invited to meet us. He was late arriving, and the sky looked threatening, but mother exercised her usual patience, and even let him record "Hen ffon fy nain" so that he could get used to the phonograph, before explaining that she wanted something less well known, songs his grandparents used to sing on the farm or at the fair ... The singer now had the right idea, and things were going well. But as mother was about to record another song she happened to look out of the window and saw snow falling heavily. Torn between her duties as a collector and as mother of a family, the latter won, and we set off for home in a snowstorm. I remember trudging along through the blinding snow while mother urged the pony Seren up Caerwys hill.[4]

O gofio hyn, nid yw'n rhyfedd fod Kitty wedi mentro i'r maes cenhadol ym Mizoram, lle bu'n athrawes o 1922 tan 1925[5] a bod Mostyn yn ddigon anturus i deithio i'r India ac i grwydro Ewrop ar ei foto beic.[6] Roedd y ddau wedi etifeddu ysbryd mentrus a di-ofn eu mam, ac wedi dysgu'n ifanc beth oedd antur.

Cadwodd Kitty a Mostyn ill dau eu diddordeb yn niwylliant gwerin Cymru ar hyd y blynyddoedd, gan fynychu cyfarfodydd y Gymdeithas Alawon Gwerin a chefnogi ei gweithgareddau. Dyma'r unig frawd a chwaer i ddal swydd Llywydd y Gymdeithas yn eu tro, Kitty o 1974 tan 1976, a Mostyn yn 1985, gan ddilyn yn ôl troed eu mam, a fu'n Llywydd o 1930 hyd ei marw yn 1946. Graddiodd Kitty o Aberystwyth ac arhosodd yn driw i'r Pethe ar hyd ei hoes, gan droi ei chartref ym Mhenucha, Caerwys, 'yn noddle i amryw gymdeithasau Cymraeg a Chymreig'.[7] Hi a'i brawd a dalodd am adargraffu ail gasgliad eu mam o alawon gwerin yn enw'r Gymdeithas. Roedd ei gŵr, Idwal Jones (1899–1965), a fu'n ddarlithydd mewn addysg yn Abertawe ac yn Athro yn y pwnc yn Aberystwyth, yn un o arloeswyr dysgu trwy gyfrwng y Gymraeg ym Mhrifysgol Cymru, ac ef a olygodd hunangofiant yr arweinydd Methodistaidd enwog, Thomas Jones, Dinbych, un o hynafiaid Herbert Lewis.[8]

Dilynodd Mostyn lwybr y botanegydd ac arch-ysgolhaig canu gwerin Cymru, John Lloyd Williams (1854–1945), gan raddio mewn Botaneg ym Mhrifysgol Caeredin; ond bu'n astudio hefyd yn Ysgol Gelf Courtauld yn Llundain, a chynhyrchu gwaith safonol ar wydr lliw, *Stained Glass in North Wales up to 1850* (Altrincham, 1970). Roedd yn deithiwr dihafal a ymddiddorai yn niwylliant gwerin yr amrywiol wledydd yr ymwelai â nhw, gan recordio caneuon ac arferion eraill ar dâp. Casglodd wybodaeth gyffredinol hynod eang, cyrhaeddodd rownd derfynol y gyfres radio boblogaidd, 'Brain of Britain', a bu am flynyddoedd yn un o gynrychiolwyr Cymru mewn cyfres boblogaidd arall, 'Round Britain Quiz'.[9] Trwy'r cyfan parhaodd ei ddiddordeb yn alawon gwerin Cymru yn fyw, a byddai ganddo, fel ei fam, farn bendant ar y ffordd y dylid eu cyflwyno, fel y gwelir o'r llythyr y dyfynnir ohono uchod.

Mae'r llythyr hwnnw, a arweiniodd at sefydlu'r gystadleuaeth goffa, hefyd yn lled-awgrymu bod casglyddion cynnar fel ei fam wedi perchenogi'r caneuon gwerin roedden nhw'n eu casglu, ac efallai fod hynny wedi troi'n grwsâd gan y teulu cyfan. Yn Adroddiad Blynyddol y Gymdeithas Alawon Gwerin am 1957–58, cofnodir i Mrs Mostyn Lewis brotestio yn y Cyfarfod Blynyddol a gynhaliwyd yn ystod Eisteddfod Genedlaethol Llangefni 1957 'yn erbyn rhai o'r trefniadau annheilwng o'n halawon gwerin gan gerddorion proffesedig Cymru'. Cofnodir i'r cyfarfod drafod y mater, ond dim mwy na hynny, ac nid oes awgrym o unrhyw weithredu yn enw'r Gymdeithas. Y mae'r brotest honno'n amlygu nid yn unig farn y teulu am werth a phwysigrwydd gwaith casglu eu mam, ond hefyd yr hollt a fu erioed rhwng y sawl sydd am gadw caneuon gwerin yn eu ffurf gysefin, a'r sawl sydd yn fodlon iddynt gael eu trefnu a'u haddasu a'u hail-greu'n ddiddiwedd. Naturiol ddigon oedd i etifeddion Ruth Lewis fod eisiau cadw'n ddihalog yr hyn yr oedd hi wedi ymdrechu mor galed i'w ddiogelu: canu'r caneuon yn syml a dirodres, cyflwyno'r geiriau'n eglur, a pharchu amseriad cywir, sef nodweddion y cantorion a rannodd eu trysorau gyda hi pan oedd y trysorau hynny ar fin cael eu gollwng dros gof am byth. Ni fyddai wedi bod wrth fodd calon Ruth Lewis na'i phlant i glywed trefnu (a gor-drefnu) alawon i leisiau ac offerynnau. Nid pawb o bell ffordd a fyddai'n cytuno â'u safbwynt, ac mae'n debyg na cheir terfyn ar y ddadl honno; ond mae etifeddiaeth y Fonesig Herbert Lewis yn fyw ac yn iach nid yn unig yn y gystadleuaeth sy'n dwyn ei henw ond hefyd yn y canu brwd a'r trosglwyddo sy'n dal i fod ar y caneuon a gofnodwyd ganddi hi a'i chydgasglyddion, ganrif a mwy wedi iddynt anturio i'r maes.

1 Gweler erthygl gynhwysfawr David R. Jones, 'Lady Ruth Herbert Lewis (1871–1946): indefatigable collector of Flintshire's folk-songs', *Flintshire Historical Society Journal* 37 (2007), 106–68. Ar dudalen 146 nodir bod 1,500 copi o'r gyfrol gyntaf wedi eu cyhoeddi ym Medi 1914 ac wedi eu gwerthu'n llwyr erbyn Chwefror 1916, bod 8,000 copi pellach wedi eu cyhoeddi rhwng 1916 a Mehefin 1927, a bod 2,500 eto wedi ymddangos yn 1943 ac 1946, cyfanswm o 12,000 copi. Sonia David Jones am bum argraffiad, ond mae gennyf yn fy meddiant gopi a ddisgrifir yn 'Sixth edition'. Ni chafwyd manylion gwerthu'r ail gyfrol.
2 Diogelir copi o'r llythyr gyda chofnodion Pwyllgor Gwaith y Gymdeithas: Llyfrgell Genedlaethol Cymru, Welsh Folk Song Society A1/2: Minutes 1934–57.

3 Mae Gwynn Williams yn nodi iddo gael cytundeb terfynol â'r Pwyllgor Cerdd ar 6 Mawrth 1954. *ibid*.

4 Kitty Idwal Jones, 'Adventures in folk-song collecting', *Welsh Music / Cerddoriaeth Cymru*, cyf. 5, rhif 5 (Gwanwyn 1977), 33–52, ar dudalennau 39–40. Dyfynnir atgofion Ruth Lewis ei hun am y daith hon yn fy ysgrif, 'Y peth "byw": ethos y casglu cynnar', *Canu Gwerin* 41 (2018), 25–36, ar dud. 31.

5 J. Meirion Lloyd, *Y Bannau Pell: cenhadaeth Mizoram* (Caernarfon, 1989), yn enwedig tt. 137, 154–7.

6 Gweler yn Rhan 3 o'r gyfrol hon atgofion Ruth Facer am ei thad.

7 [Roy Saer], 'Marwolaethau: Mrs Kitty Idwal Jones', *Canu Gwerin* 7 (1984), 65.

8 *Hunangofiant y Parch. Thomas Jones* … argraffiad newydd wedi ei olygu gan Idwal Jones (Aberystwyth, 1937). Yn ogystal, cynhyrchodd Idwal Jones astudiaeth fanwl, 'Thomas Jones o Ddinbych, awdur a chyhoeddwr', *Journal of the Welsh Bibliographical Society* 5 (1937–42), 137–209.

9 [Roy Saer], 'Marwolaeth / *Obituary*: Dr Mostyn Lewis', *Canu Gwerin* 9 (1986), 58–60.

Am ragor o fanylion am fywyd a gwaith y Fonesig Herbert Lewis, gweler erthygl E. Wyn James, 'An "English" Lady Among Welsh Folk: Ruth Herbert Lewis and the Welsh Folk-Song Society', yn *Folk Song: Tradition, Revival and Re-Creation*, gol. Ian Russell a David Atkinson (Aberdeen, 2004), sydd hefyd ar gael yn electronig:

https://www.cardiff.ac.uk/cy/special-collections/subject-guides/welsh-ballads/ruth-herbert-lewis

(ii) Rhestr o Enillwyr: 1955-2018

	BLWYDDYN	EISTEDDFOD	ENILLYDD	BRO MEBYD
1.	1955	PWLLHELI	W. EMRYS JONES	LLANGWM
2.	1956	ABERDÂR	MADGE WILLIAMS	LLANWRDA
3.	1957	SIR FÔN	GWYNETH PALMER	RHOSLLANNERCHRUGOG
4.	1958	GLYN EBWY	PAMELA DAVIES	CASNEWYDD
5.	1959	CAERNARFON	GORONWY WYNNE	LICSWM
6.	1960	CAERDYDD	ANITA WILLIAMS	TRIMSARAN
7.	1961	DYFFRYN MAELOR	ANITA WILLIAMS	TRIMSARAN
8.	1962	LLANELLI A'R CYLCH	HARRY RICHARDS	SARN, PWLLHELI
9.	1963	LLANDUDNO A'R CYLCH	MARGARET WILLIAMS	BRYNSIENCYN, MÔN
10.	1964	ABERTAWE	ELFED LEWYS	BODRINGALLT, RHONDDA
11.	1965	MALDWYN	BUDDUG LLOYD ROBERTS	LLAN FFESTINIOG
12.	1966	ABERAFAN A'R CYLCH	ELFED LEWYS	BODRINGALLT, RHONDDA
13.	1967	SIR FEIRIONNYDD: Y BALA	CARYS PUW WILLIAMS	Y BALA
14.	1968	Y BARRI A'R FRO	LLEWELA DAVIES	SARON, RHYDAMAN
15.	1969	Y FFLINT	MYRON LLOYD	LLANDYSILIO, PENFRO
16.	1970	RHYDAMAN A'R CYLCH	HARRY RICHARDS	SARN, PWLLHELI
17.	1971	BANGOR A'R CYLCH	EINIR WYN OWEN	RHIWLAS, BANGOR
18.	1972	SIR BENFRO	MYRON LLOYD	LLANDYSILIO, PENFRO
19.	1973	DYFFRYN CLWYD	EINIR WYN OWEN	RHIWLAS, BANGOR
20.	1974	BRO MYRDDIN	BETH AMON	TRIMSARAN
21.	1975	BRO DWYFOR	LLEWELA EDWARDS	SARON, RHYDAMAN
22.	1976	ABERTEIFI A'R CYLCH	JOAN GRAVELLE	IDOLE, CAERFYRDDIN
23.	1977	WRECSAM A'R CYLCH	LEAH OWEN	RHOSMEIRCH, MÔN
24.	1978	CAERDYDD	J. EIRIAN JONES	CWMANN, LLANBEDR PONT STEFFAN
25.	1979	CAERNARFON A'R CYLCH	EINIR WYN WILLIAMS	RHIWLAS, BANGOR
26.	1980	DYFFRYN LLIW	DAFYDD IDRIS EDWARDS	PENRHIWFORGAN, TREFORYS

	BLWYDDYN	EISTEDDFOD	ENILLYDD	BRO MEBYD
27.	1981	MALDWYN A'R CYFFINIAU	MENNA THOMAS	MAESTEG
28.	1982	ABERTAWE A'R CYLCH	HARRY RICHARDS	SARN, PWLLHELI
29.	1983	YNYS MÔN	ELERI ROBERTS	BYNEA, LLANELLI
30.	1984	LLANBEDR PONT STEFFAN	JOYCE SMITHIES	TREFEGLWYS
31.	1985	Y RHYL A'R CYFFINIAU	ANDREW O'NEILL	PONTARDDULAIS
32.	1986	ABERGWAUN A'R FRO	SIÂN EIRIAN	LLANGYBI
33.	1987	BRO MADOG	DAFYDD IDRIS EDWARDS	PENRHIWFORGAN, TREFORYS
34.	1988	CASNEWYDD	MARGARET A MILLINGTON	GLYNRHEDYN, RHONDDA
35.	1989	DYFFRYN CONWY A'R CYFFINIAU	NIA CLWYD	PENIEL, DINBYCH
36.	1990	CWM RHYMNI	DELYTH MEDI	LLANBEDR PONT STEFFAN
37.	1991	BRO DELYN	HELEN MEDI	GARNDOLBENMAEN
38.	1992	CEREDIGION ABERYSTWYTH	DELYTH MEDI	LLANBEDR PONT STEFFAN
39.	1993	DE POWYS LLANELWEDD	RHIAN WILLIAMS	CAERFYRDDIN
40.	1994	NEDD A'R CYFFINIAU	ARFON WILLIAMS	CWMTIRMYNACH, Y BALA
41.	1995	BRO COLWYN	CARYL EBENEZER	BOW STREET, ABERYSTWYTH
42.	1996	BRO DINEFWR	EINIR OWENA GRIFFITH	PENTREUCHAF, PWLLHELI
43.	1997	MEIRION A'R CYFFINIAU	ELEN RHYS	LLAWRYGLYN, TREFEGLWYS
44.	1998	BRO OGWR	ABIGAIL SARA	TREGŴYR, ABERTAWE
45.	1999	MÔN	EDRYD WILLIAMS	Y BALA
46.	2000	LLANELLI A'R CYLCH	CATRIN ALWEN	LLAWRYGLYN, TREFEGLWYS
47.	2001	SIR DDINBYCH A'R CYFFINIAU	ALED WYN DAVIES	LLANBRYNMAIR
48.	2002	SIR BENFRO, TYDDEWI	NIA TUDUR	LLANELWY
49.	2003	MALDWYN A'R GORORAU	SIWAN LLYNOR	Y BALA
50.	2004	CASNEWYDD A'R CYLCH	NIA TUDUR	LLANELWY
51.	2005	ERYRI A'R CYFFINIAU	GREGORY VEAREY-ROBERTS	BOW STREET, ABERYSTWYTH
52.	2006	ABERTAWE A 'R CYLCH	ESYLLT TUDUR DAVIES	LLANRWST
53.	2007	SIR FFLINT A'R CYFFINIAU	TREFOR PUGH	ABERCYWARCH

BLWYDDYN		EISTEDDFOD	ENILLYDD	BRO MEBYD
54.	2008	CAERDYDD A'R CYLCH	LYNDSEY VAUGHAN PLEMING	DEINIOLEN
55.	2009	MEIRION A'R CYFFINIAU	CATRIN ANGHARAD ROBERTS	LLANBEDRGOCH, MÔN
56.	2010	BLAENAU GWENT A'R CYMOEDD	DAFYDD JONES	YSTRADMEURIG
57.	2011	WRECSAM A'R FRO	TREFOR PUGH	ABERCYWARCH
58.	2012	BRO MORGANNWG	MAIR TOMOS IFANS	ABERGYNOLWYN
59.	2013	SIR DDINBYCH A'R CYFFINIAU	RHIAN PARRY	TUDWEILIOG, PWLLHELI
60.	2014	SIR GÂR	GREGORY VEAREY-ROBERTS	BOW STREET, ABERYSTWYTH
61.	2015	MALDWYN A'R GORORAU	STEFFAN RHYS HUGHES	LLANGWYFAN, DINBYCH
62.	2016	SIR FYNWY A'R CYFFINIAU	STEFFAN RHYS HUGHES	LLANGWYFAN, DINBYCH
63.	2017	YNYS MÔN	EDRYD WILLIAMS	Y BALA
64.	2018	CAERDYDD	EMYR LLOYD JONES	BONTNEWYDD, CAERNARFON

(iii) Hanes yr enillwyr gan Dr Prydwen Elfed-Owens

Rhannu trysor teg gantorion, – a rhodd
Ein Ruth o alawon;
Dwyn i gof fwyn atgofion
Yw'r wledd sy'n y gyfrol hon.
Robin Gwyndaf

1. William Emrys Jones (1920–2009)
Pwllheli: 1955

Caneuon: 'Mari Fach Fy Nghariad' a 'Hen ŵr Mwyn'
Beirniaid: W. S. Gwynn Williams a Gwladys Morgan Jones

Ganed Emrys yn 1920, a magwyd ef
a'i chwaer, Eirlys, ym Mhen-y-bont,
Llangwm. Roedd yn ganwr gwerin,
yn hyfforddwr, ac yn arweinydd côr,
ac ef oedd enillydd cyntaf Gwobr
Goffa Lady Herbert Lewis. Yn ôl
Robin Gwyndaf yn ei gyfrol, *Teulu Bro
a Thelyn – Portread o Ganwr Gwerin a
Chynheilydd Traddodiad: Emrys Jones,
Llangwm* (1997), ef oedd un o
ddisgyblion mwyaf disglair y
datgeinydd a'r hyfforddwr, William
Henry Pughe (1897-1973), Cystyllen,
Parc, ger y Bala. Eto, yn ôl Robin
Gwyndaf (t.165), 'meini prawf canu

gwerin y ddau ohonynt oedd geirio clir; cynnal bwa brawddeg; lliwio gair a chymal; amseru pwrpasol gydag amrywiaeth saib a goslef; dweud stori a'i dweud hi'n ddiddorol; a'r pwysicaf oll efallai, cyflwyniad synhwyrus a diffuant, gan ganu o'r galon gyda boddhad'. Yn y gyfrol uchod, hefyd, cyfeirir at nodiadau darlith Emrys ar ei athroniaeth bersonol am nodweddion hanfodol canu gwerin Cymreig:

> Mae'r gwir ganwr gwerin yn hollol ymwybodol o'r geiriau, ond yn isymwybodol o'r alaw. Mae'r canwr gwerin yn gwneud i'r alaw ffitio'r geiriau, ac nid y geiriau i ffitio'r alaw. O ganlyniad, yr unig ffordd gywir i ganu cân werin yw heb gyfeiliant. Gwelir heddiw gyfrolau gyda chyfeiliant sy'n niweidiol i'r math yma o ganu. Yn wir, gwelir mwy o gyfeiliant nag o alaw. Rhaid cofio hefyd peidio pwysleisio gormod ar y lleisio. Mae dipyn o adroddgan (*chant*) yn siwtio canu gwerin.

Diddanodd Emrys gynulleidfaoedd eisteddfodau lleol a chenedlaethol, gwyliau cerdd dant, cyngherddau a nosweithiau llawen am dros drigain mlynedd. Roedd ei lais tenor clir a'r angerdd yn ei galon wedi'u gwreiddio yn ei fagwraeth ddiwylliedig ym Mro Uwchaled. Ar draws y blynyddoedd, bu Emrys yn chwarae rhan flaenllaw yn y gymdeithas. Fe'i penodwyd yn olynydd i'w dad fel clerc Cyngor y Plwyf a bu wrth y gwaith hwnnw am hanner canrif. Byddai'n hyfforddi plant a phobl ifanc yr Urdd ac yn arwain Côr Cerdd Dant Cwm Eithin er 1948.

Yn 2002 yn Nolgellau, ar ddathliad pen-blwydd yr Ŵyl Cerdd Dant yn drigain oed, cafodd yr anrhydedd o fod yn Llywydd y Dydd. Yn 2003, yn Eisteddfod Genedlaethol Maldwyn a'r Gororau, derbyniodd Emrys Fedal Syr T. H. Parry-Williams er clod am ei wasanaeth amhrisiadwy i'w gymuned. Yn ystod yr un flwyddyn, derbyniodd radd M.A. er anrhydedd gan Brifysgol Cymru am ei wasanaeth i iaith a diwylliant ei fro. Cafodd y fraint o feirniadu cystadlaethau alawon gwerin yn Eisteddfod Genedlaethol y Rhyl a'r Cyffiniau yn 1985.

Dywedodd Dewi, mab Emrys:

> Er mai dim ond pump oed oeddwn i ar y pryd, rwy'n cofio Eisteddfod Genedlaethol Pwllheli 1955 yn dda iawn. Roeddem fel teulu yn aros am wythnos gyda chwaer fy nhad, Eirlys, gwraig y Parchedig Ted Lewis Evans, gweinidog Capel Pen-lan, Pwllheli. Cofiaf y tŷ yn iawn, sef

Arallt, Allt Salem, Pwllheli. Diwrnod cystadleuaeth y gân werin agored, doedd fy nhad ddim yn teimlo'n dda iawn, ond roedd yn benderfynol o ymgeisio. Roedd Mam yn flin hefo fo, gan fynnu nad oedd yn ddigon da i gystadlu. Ta waeth, cystadlu wnaeth o, ac ennill! Dyma'r flwyddyn gyntaf y cyflwynwyd gwobr anrhydeddus i brif gystadleuaeth adran canu gwerin yr ŵyl – Gwobr Goffa Lady Herbert Lewis. Cyflwynwyd y cwpan i'r Eisteddfod gan unig fab y Fonesig, sef Dr Herbert Mostyn Lewis. Ef hefyd a gyflwynodd y wobr hon i fy nhad fel yr enillydd cyntaf. Ar ôl derbyn y tlws, trawyd fy nhad yn wael iawn. Cofiaf y bu'n rhaid trefnu car i'w hebrwng o faes yr Eisteddfod i dŷ Anti Eirlys. Er mawr syndod i bawb, canfuwyd fod ganddo niwmonia, ac ym Mhwllheli y bu am wythnosau lawer ar ôl yr Eisteddfod honno yn gwella. Ffrind teulu a chyd-ddiacon yn y capel aeth â mam, fy chwaer a minnau adre i Langwm. Yna, rai wythnosau'n ddiweddarach, penderfynwyd bod fy nhad yn ddigon da i ddychwelyd adre i Ben-y-bont.

Cofiaf iddo gystadlu yn Eisteddfod Genedlaethol y Drenewydd, 1965. Yno bu'n sgwrsio ar y maes a Bili (brawd Beti a Carys Puw, Llidiardau, Parc). Roedd Bili'n llawenhau am iddo ennill gwobr gyntaf ar yr unawd cerdd dant. Gofynnodd fy nhad iddo,

'Wyt ti'n cystadlu ar yr alaw werin, wa?'
'Na, er dw i 'di entro. Wyt ti'n cystadlu, Em?'
'Na, 'di anghofio entro', atebodd fy nhad.
'Wel, cer yn fy lle i', ebe Bili, 'Yr enw dw i 'di'i gofrestru ydi "W E".'

William Edward oedd enw llawn Bili a William Emrys oedd enw llawn fy nhad. Felly, i ffwrdd â fo i'r prîlim. Yn anffodus, am nad oedd wedi ymarfer, fe anghofiodd y geiriau! Fodd bynnag, fe ddaliodd fy nhad ati i gystadlu yn Eisteddfod Gerddorol Ryngwladol Llangollen, a do, ar ôl blynyddoedd o gystadlu, fe enillodd o'r diwedd! Roedd Llangollen yn 'sbeshial' iddo fel cyn-ddisgybl ysgol ramadeg y dref.

Canu gwerin a cherdd dant oedd byd a diléit fy nhad. Roedd yn byw i ganu. Byddai'n canu ym mhobman –yn y caeau, ar y tractor, yn y car, yn wir, yn unrhyw le! Pan oedden ni'n blant, roedd o'n canu mewn cyngherddau ddwy neu dair gwaith yr wythnos. Fe ddaliodd ati ymhell i'w wyth degau, yn ogystal â chanu fel unawdydd gyda chôr meibion Llangwm. Dw i'n cofio pan oedd o oddeutu 85 oed, iddo dderbyn gwahoddiad i gynnal noson yng Nghapel y Groes, Wrecsam. Gorfu i fy ngwraig, Rhian, gyfeilio iddo. Roeddem ill dau yn poeni'n ddirfawr amdano ac yntau mor oedrannus. Roedd y capel yn orlawn, ac yn ôl Mair Carrington, cafwyd 'noson i'w chofio'. Roedd ganddo gannoedd o ganeuon gwerin yn ei gasgliad, a byddai'n mynnu canu o leiaf un gân werin newydd ymhob cyngerdd. Dw i'n ei gofio fo'n deud wrtha'i fod un o'i ffrindiau, Bob Roberts, Tai'r Felin, yn dal i ganu er ei fod yn 80 mlwydd oed!

Fy nhad fyddai'n rhoi lifft i Bob i'r Bala, neu adre o'r dre', yn aml iawn. Cofiaf iddo ddweud fod Bob wedi canfod cân werin newydd ac fe ddechreuodd ei chanu yn y car ar y ffordd i'r Bala. Ond pan gyrhaeddodd y ddau'r Bala, bu raid i fy nhad ddal i fynd drwy'r dref a chyn belled â Llanfor er mwyn i Bob orffen y gân! Digwyddodd yr un peth ar y ffordd adre – fe basiodd y ddau Dai'r Felin, gan ddal i fynd i Gellïoedd er mwyn i Bob unwaith eto orffen y gân! Dim ond wedyn y câi 'nhad droi'r car tuag adre! Ie, canu ac eisteddfota oedd byd y ddau ohonynt.

Gwerthfawrogai Dewi'r profiadau o fynychu pob Eisteddfod Genedlaethol ac Eisteddfod yr Urdd ers yn blentyn ifanc iawn. Mae ei ferch, Mari Fflur, wyres ieuengaf Emrys, a'i gŵr, Dewi, yn byw yn Pen-y-bont, hen gartref Emrys. Yn 2018, fe fedyddiwyd ei babi cyntaf yn Celt Emrys, er cof am ei thaid. Bydd yntau'n siŵr o fod yn ganwr gwerin o fri!

Bu farw Emrys yn 2009, blwyddyn cyn ei ben-blwydd yn naw deg oed. Ar y pryd, pan oeddwn yn Swyddog Addysg yr ardal a Chadeirydd Cymdeithas Ddawns Werin Cymru, cofiaf fynd i'w angladd yng Nghapel y Groes, Llangwm, a'r capel dan ei sang. Cofiaf y gwasanaeth teimladwy a lleisiau Côr Llangwm yn ei hebrwng ar ei daith i ymuno â chôr arall i ganu yn y nefoedd.

2. Madge Williams (1920-1999)

Aberdâr: 1956

Caneuon: 'Hiraeth' a 'Tiwn Sol-ffa'
Beirniaid: Amy Parry-Williams a J. Morgan Nicholas

Ganed Madge yn 1920 yn Llanwrda, Sir Gaerfyrddin, yn un o wyth o blant. Yn 1941, pan oedd yn un ar hugain oed, cafodd ei hyfforddi i fod yn nyrs yn Ysbyty Abertawe. Priododd ag Elidyr[1] Williams yn 1945 a ganwyd iddynt un ferch, Joan[2]. Bu Madge yn wraig fferm ym Mancylan, Llansadwrn, Sir Gaerfyrddin. Yn gyntaf oll, cantores oratorio oedd Madge ac fe ddywedodd un beirniad mai hi oedd y 'second Isobel Baillie – with a telling voice'. Yn hwyrach yn ei bywyd, fe'i hudwyd at ganu gwerin am fod

ei phrofiad fel unawdydd oratorio wedi ei chyflyru i eirio'n glir a chyfleu stori mor dda, gofynion cyffredin i'r ddau *genre*.

Dywedodd Joan, merch Madge:

> Yn ei hieuenctid bu fy mam yn byw ar fferm Troedrhiw'r Esgair, Llansadwrn, gyda'i modryb a'i hewythr David Evans. Cerddor oedd wedi'i ddysgu ei hun ydoedd David, yn arweinydd côr yn Llandeilo ac yn ffidlwr dawnus. Ef a ysbrydolodd fy mam i ymddiddori mewn canu ac ef hefyd a'i hyfforddodd. Yn ôl fy mam, un byr ei amynedd oedd David, yn enwedig wrth geisio dysgu sol-ffa yn unigol i fy mam ond hefyd i blant y pentref. Gan fod Mam yn dysgu ei chaneuon drwy'r sol-ffa, roedd ganddi draw perffaith. Cofiaf iddi ddweud wrthyf y byddai David yn ei dwrdio am ganu yn y caeau yn y tywydd oer gan ei bod yn gwneud niwed i'w llais!

Bu Madge yn cystadlu ac yn ennill mewn eisteddfodau lleol yn gyson ers pan oedd yn naw oed. Ymhellach ymlaen, canodd fel unawdydd mewn cyngherddau ledled de Cymru mewn parti a arweinid gan Mannie Price. Roedd yntau'n berfformiwr ar y radio o dan y ffug enw 'Joe Long' yn *Teulu'r Mans*. Cyn ennill y wobr hon, enillodd Madge unawdau mezzo soprano a chanu gwerin agored yn Eisteddfod Ystradgynlais 1954. Roedd yn aelod o Gymdeithas Alawon Gwerin Cymru ac enillodd y wobr gyntaf mewn cystadleuaeth unawd cân werin yng Ngŵyl Genedlaethol Caneuon Gwerin ym Mae Colwyn yn 1961.

Pan enillodd fy mam Wobr Goffa Lady Herbert Lewis yn 1956, roedd yn dri deg chwech oed ac yn gweithio'n galed ar ei fferm ym Mancylan. Wyth oed oeddwn i pan enillodd hi'r wobr. Cofiaf hi'n ymarfer yn ddyfal yn ystod haf 1956 ymysg holl waith y cynhaeaf gwair. Bryd hynny, bu'n ymdrech enfawr iddi gychwyn ben bore ym mis Awst i deithio oddeutu hanner can milltir i gyrraedd Aberdâr mewn pryd i gystadlu. Soniai'n aml am godi'n gynnar i fynychu'r rhagbrawf ac i gystadlu ar y llwyfan ac am ennill y gystadleuaeth unawd mezzo soprano dros 16 hefyd. Yn anffodus, gorfu i fy nhad a minnau aros adref ar y fferm i ofalu am yr anifeiliaid a'r cynhaeaf gwair. Clywsom Mam yn ennill y gystadleuaeth ar y radio a chyrhaeddodd llu o delegramau i'w llongyfarch. Enw'r alaw a ganodd hi pan enillodd Dlws Lady Herbert Lewis oedd 'Hiraeth'. Amy Parry-Williams (1910-1988) oedd un o'r beirniaid a J. Morgan Nicholas (1895-1963), cyfansoddwr y dôn 'Bryn Myrddin' oedd y llall. Fe gollodd Morgan ei ferch, a oedd yn oböydd dawnus, pan oedd hi yn ei harddegau, ac fe gyfansoddodd ddarn i'r obo er cof amdani. Teimlodd angerdd dehongliad fy mam o 'Hiraeth' i'r byw. Roeddem fel teulu yn falch o'r cwpan fu ar ben y piano am y flwyddyn. Ni fu'r tlws acw ar ôl hynny.

Bu farw Madge yn 1999 yn 79 oed. Bu'n ymddiddori mewn cerddoriaeth a chystadlaethau'r Eisteddfod Genedlaethol hyd y diwedd. Credai fod hanfodion canu o bob math yn gyffredin, sef cyfathrebu gyda'r gynulleidfa ac ennyn eu sylw llawn, cyflwyno'r stori a'i datblygu, geirio'n glir a chanu cywir. Credai fod lle i gynnwys canu gwerin ar lwyfan Eisteddfodol y Brifwyl er mwyn atgoffa'r genedl o'i hetifeddiaeth werinol.

1 Elidyr Williams: nai i'r gwleidydd W. Llewelyn Williams (1867-1922), Llansadwrn. Gw. http://yba.llgc.org.uk/cy/c-WILL-LLE-1867.html
2 Dr E. Joan Williams BSc PhD MB BCh FRCPath LLM: Treuliodd ei gyrfa fel meddyg, arbenigwraig a chyfarwyddwraig mewn patholeg gemegol a meddygaeth fetabolig. Yng Nglyn Ebwy yn 2010, cyflwynodd wobr ariannol i gystadleuaeth Gwobr Goffa Lady Herbert Lewis er cof am ei mam.

3. Gwyneth Morfudd Palmer (1914-1991)

Sir Fôn: 1957

Caneuon: 'Y Gwcw Fach Lwydlas' a 'Cyfri'r Geifr'
Beirniaid: Ceridwen Lloyd Davies ac Enid Parry

Ganed Gwyneth yn Rhosllannerchrugog yn 1920 yn ferch i Frances Elizabeth a Walter Vaughan Palmer. Fe'i haddysgwyd yn Ysgol Gynradd y Rhos ac wedyn yn Ysgol Ramadeg y Merched, Rhiwabon. Symudodd y teulu i fyw ym Mon Abri, Stryd Tegid, Y Bala, pan gafodd ei thad a'i brawd, Glyn, swyddi gyda'r rheilffordd. Bu ei mam yn dioddef o waeledd a'i caethiwodd i'w gwely am gyfnod hir. Hyfforddwyd Gwyneth yn athrawes yn Athrofa'r Coleg Normal, Bangor. Yn ystod ei gyrfa, bu'n brifathrawes mewn nifer o ysgolion bach gwledig gan gynnwys Carrog, Glanrafon (Llawr-y-betws), Llandderfel a Rhos-y-gwaliau.

Dywedodd Elfyn Pritchard, a oedd hefyd yn bennaeth ysgol gynradd yn yr un ardal yn y cyfnod hwnnw:

Roedd un peth sy'n sicr, roedd Gwyneth yn annwyl iawn gyda'r plant ac yn ofalgar iawn ohonynt. Roedd hi'n hynod gerddorol a chanu gwerin oedd ei phrif ddiddordeb. Roedd yn siŵr o'i phethe ac yn feirniad caredig. Er yn feirniad cenedlaethol, roedd hi'n gefnogwr brwd o eisteddfodau bychain.

Yn ôl Beti Puw Richards:

Byddai Gwyneth yn rhoi pwyslais *mawr* ar ddehongli alawon gwerin yn naturiol ac yn werinol gan fynnu geirio clir a chroyw.

Dywed Buddug Medi, adroddreg a hanesydd lleol:

Roedd gan Gwyneth ddawn i ysbrydoli ac i egluro technegau canu. Un flwyddyn, dysgodd gantata o waith W. S. Gwynn Williams i blant ysgolion y Bala gan wahodd y cyfansoddwr i'r perfformiad yn festri Capel Tegid. Roedd ganddi radd L.R.A.M., ac roedd yn boblogaidd iawn fel arweinydd cymanfaoedd. Os digwyddai i bregethwr dawelu dan deimlad ar ganol ei bregeth, dôi Gwyneth i'r adwy gydag emyn addas. Cofiaf iddi dorri i lawr yn llwyr mewn galar ar ôl ei rhieni wrth ganu 'Hapus Dyrfa'.

Dywedodd Sioned Webb, merch y Parchedig Huw Jones, Y Bala:

Mae gennyf atgofion melys iawn am Gwyneth. Pan oeddwn i'n blentyn, roeddwn yn byw yn Annedd Wen, y tŷ reit gyferbyn â'i chartref. Cofiaf fy nhad yn dweud y byddai Gwyneth yn dal ar ei thraed pan fyddai ef yn dychwelyd yn oriau mân y bore ar ôl arwain eisteddfodau. Yn wir, Gwyneth a roddodd imi'r holl wybodaeth oedd ganddi am Meirion Williams, y cyfansoddwr mwyaf arloesol a fu ym myd caneuon Cymraeg, pan oeddwn yn ei astudio ar gyfer ôl-radd.

Mynychai Gwyneth Gapel Bedyddwyr Salim, Y Bala, sydd bellach wedi cau. Yno, bu'n athrawes Ysgol Sul pan yn ei harddegau ac yn flaenor diwyd fel ei thad ac yn godwr canu. Gweithredodd fel Ustus Heddwch yn ogystal â gwasanaethu fel pregethwr lleyg.

Dywedodd Bethan Antur, merch Beti Puw:

Cofiaf pan oeddwn yn ddeuddeg oed imi gael fy nysgu gan Gwyneth i gystadlu ar y gân werin yn Eisteddfod Wrecsam yn 1977. Enillais yr ail wobr am ganu 'Cyfri'r Geifr' efo'r 'Gwcw Fach Lwydlas'. Roedd yn wraig garedig a hwyliog dros ben er ei threialon bywyd a byddaf yn meddwl amdani pan fyddaf yn pasio Mon Abri, ei hen gartref.

Bu farw Gwyneth yn 1991 yn 77 mlwydd oed ac fe'i claddwyd gyda'i rhieni ym mynwent Llanycil ger y Bala. Mae gwerthfawrogiad twymgalon y gymdeithas yn parhau am ei hymroddiad i ysbrydoli plant ac ieuenctid y fro i ymddiddori yn nhraddodiad canu gwerin.

4. Pamela Davies

Glyn Ebwy: 1958

Caneuon: 'Y Gwcw Fach Lwydlas' a 'Cwyn Mam yng Nghyfraith'
Beirniaid: Amy Parry-Williams a John Hughes

Ganed Pamela Davies, a'i gefeilles, Gloria (*Glo*), yng Nghasnewydd yn 1932, ac roedd yn blentyn yn ystod yr Ail Ryfel Byd. Cofia'r balwnau enfawr yn hofran yn yr awyr, bygythiad tragywydd yr awyrennau Almaenig. Cofia'r *blackout* – y tywyllwch dudew a dim golau o'r tai na'r strydoedd. Ar sgrech y seiren, byddent y rhuthro i gysgu naill ai dan y gwely neu mewn lloches tan ddaear yn yr ardd. Byddai ei modryb yn pryderu am ddiogelwch y teulu a hwythau mor agos at ddinasoedd Caerdydd ac Abertawe adeg y bomio. Felly, symudon nhw allan o gyrraedd y peryglon i Wrecsam pan gafodd ei thad swydd fel gwerthwr i *Ruabon Bricks*. Roedd byw yn Wrecsam mewn heddwch ar ôl y rhyfel yn rhyddhad mawr i'r teulu. Ni chafodd Pam ei magu ar aelwyd Gymraeg. Bu hi a'i gefeilles yn athrawon ymroddedig yn ysgolion cynradd y dref drwy gydol eu gyrfa.

Dywedodd Pamela:

> Hanai fy nhad o Goedpoeth a'm mam o dref Wrecsam. Roedd fy mam yn ddi-Gymraeg, ac felly Saesneg oedd iaith yr aelwyd. Doeddwn i

ddim yn medru siarad Cymraeg. Yn ddiweddarach, sylweddolais y buasai fy nhad wedi hoffi siarad Cymraeg gyda mi. Felly yn dilyn marwolaeth fy mam ar ôl imi ymddeol, penderfynais fynd ati i ddysgu siarad Cymraeg yn rhugl.

Un o f'atgofion cyntaf o ganu yw cymryd rhan yng ngweithgareddau'r capel pan oeddwn oddeutu saith oed. Yna, yn fy mlwyddyn olaf yn Ysgol Uwchradd Grove Park, mentrais gystadlu'n unigol yng nghystadleuaeth canu gwerin ein heisteddfod ysgol flynyddol. Fe genais i 'Ceinion Conwy', ac er mawr syndod, enillais y wobr gyntaf. Mabel Wilfrid Jones (Mabel Wilff)[1] oedd yr athrawes ganu ac roeddwn yn ei hedmygu hi'n fawr iawn ac felly deuthum yn aelod o'i chôr. Roeddwn yn hynod eiddigeddus o'r merched a gâi wersi canu unigol ganddi. Yn 1954, pan gychwynnais ar fy ngyrfa fel athrawes, gallwn fforddio i dalu am wersi a phenderfynais ofyn i Mabel Wilff fy nysgu fel unigolyn.

Roedd hi'n athrawes arbennig. Bu'n dra gofalus ohonof i ddechra gan fod fy llais mor ddistaw ac ysgafn a gorfu imi ymarfer y *scales* a'r *arpeggios* yn rheolaidd a thrylwyr cyn mentro canu unrhyw gân. Dyna gychwyn blynyddoedd o hapusrwydd a mwynhad wrth iddi f'annog i ddatblygu a chryfhau fy llais. Yn raddol, deuthum i ganu mwy a mwy. Roedd yn brofiad hynod gyffrous. Ystyr geiriau'r gân a'r teimladau y tu ôl iddynt oedd prif ffocws Mabel. Roedd y dull yma o ganu naturiol, dweud stori, dehongli'r teimladau a chyfathrebu â'r gynulleidfa yn siwtio fy mhersonoliaeth. Euthum ymlaen yn ddiymdroi i sefyll nifer o arholiadau nes cyrraedd safon L.R.A.M. fel perfformiwr.

Enillais Wobr Goffa Lady Herbert Lewis yn Eisteddfod Genedlaethol Glyn Ebwy yn 1958 pan oeddwn yn chwech ar hugain oed. Wrth hel yr atgofion melys gyda chryn hiraeth, ni chofiaf unrhyw beth am ragbrawf y gystadleuaeth ond mae'r atgofion am y profiad o'r llwyfan a'r maes yn glir yn fy meddwl. Cofiaf mai'r ddau feirniad oedd Amy Parry-Williams a John Hughes. Roedd y tywydd yn ddiflas gyda chymylau llwyd yn hongian dros bobman fel blanced drist. Diolchais nad oedd hi'n glawio.

Bryd hynny, roedd y gystadleuaeth ar y llwyfan y diwrnod ar ôl y rhagbrawf. Er mawr siom i mi, ychydig iawn o bobl oedd yn y babell fawr a minnau wedi edrych ymlaen at berfformio o flaen cynulleidfa fawr ar lwyfan y Genedlaethol am y tro cyntaf.

Gwisgais wisg draddodiadol Gymreig o sidan symudliw; côt goch a gwyrdd; bonet gotwm hardd, sanau gwynion, a byclau arian ar fy esgidiau. Roedd y darlun yn gyflawn a minnau'n barod i fynd amdani a gwneud fy ngorau. Mwynheais berfformio o'r nodyn cyntaf i'r olaf. Cymaint oedd fy mwynhad fel na feddyliais am y canlyniad heblaw, wrth gwrs, pa mor gyffrous fuasai ennill! Ni allwn gredu ychydig yn ddiweddarach fy mod yn dal cwpan Gwobr Goffa Lady Herbert Lewis yn fy llaw. Teimlais mor falch o'm llwyddiant ac mor hapus o rannu'r dathliad gyda'm chwaer, fy ngefeilles a'm ffrind pennaf, Glo. Aethom ar ein hunion i chwilio am giosg ffôn ar y maes i rannu'r newyddion da gyda'n rhieni a Mabel Wilff. Doedd dim ffonau symudol i'w cael yn 1958!

Roedd agwedd fy chwaer tuag at gystadlu yn hollol wahanol i f'un i. Er hynny, byddai'n hael ei chefnogaeth drwy gadw cwmni imi a gyrru'r car, dathlu fy llwyddiannau a gofalu amdanaf yn fy siomedigaethau. Fe'm derbyniwyd yn aelod anrhydeddus o Orsedd y Beirdd yn Eisteddfod Ynys Môn, 2017[2], ychydig fisoedd cyn marwolaeth ddisymwth Glo. Wrth hel atgofion ar draws chwe deg mlynedd, mae'r 'esgid fach yn gwasgu' yn dynn. Mae'r profiad o gystadlu'n wahanol i berfformio mewn cyngerdd er bod cyrraedd y llwyfan yn eithaf tebyg i berfformio mewn cyngerdd. Fodd bynnag, mae derbyn beirniadaeth gan feirniaid arbenigol yn gyfle ardderchog i ddatblygu ymhellach.

Cafodd Pamela brofiadau gwerthfawr ar ôl cyrraedd y brig yn y gystadleuaeth hon. Derbyniodd wahoddiadau niferus i ymddangos ar raglenni teledu Cymraeg megis *Amser Te* gyda Myfanwy Howell o Gaerdydd. Un arall oedd *Dewch i Mewn*, rhaglen materion cyfoes a ddarlledwyd yn y 1950au o stiwdio Granada Manceinion. Cyflwynydd y rhaglen honno oedd Meredith Edwards, yr actor nodedig o Rosllannerchrugog. Cofia Pam ymddangos ar y cyd gyda Cynan oedd yn darllen ei gerdd 'Monastir'.

Derbyniodd Pamela wahoddiad hefyd i berfformio yng Ngŵyl Plas Newydd, mewn cyngerdd i ddathlu jiwbili 50 mlynedd y Gymdeithas Alawon Gwerin, ddydd Sadwrn, 6 Medi 1958. Am flynyddoedd, nodwyd dyddiad sefydlu'r Gymdeithas yn 1908 gan mai dyna pryd y mabwysiadwyd y cyfansoddiad. Fodd bynnag, dangoswyd yn ddiweddarach iddi gael ei chynnal ers 1906, a dathlwyd y canmlwyddiant yn 2006. Cyhoeddwyd rhaglen arbennig ar gyfer y dathlu. Cafwyd te am 4.30 ym Mhlas Newydd, yn rhoddedig gan Dr Mostyn Lewis, a chyngerdd am 6.30 mewn pabell ar lawnt Plas Newydd. Roedd buddugwyr cynnar y gystadleuaeth i gyd yn canu yno – Emrys Jones (1955), Madge Williams (1956), Gwyneth Palmer (1957) a Pamela Davies (1958). Roedd y rhaglen hefyd yn cynnwys rhai a fyddai'n fuddugwyr wedyn, megis Anita Williams a Buddug Lloyd Roberts. Roedd Osian Ellis, Frances Môn Jones, Shân Emlyn, Esmé Lewis, Owen Bryngwyn, Amy Parry-Williams ac eraill hefyd yn cymryd rhan, ac mae'n rhaid ei bod hi'n farathon o noson! Y caneuon a ganodd Pamela Davies oedd 'Tra Bo Dŵr y Môr yn Hallt', 'Modryb Neli' a 'Y Gog Lwydlas'.

> Nid anghofiaf fyth berfformiad dwyieithog Lady Amy o 'Ei Di'r Deryn Du – To My Dearest Love'. Roedd yn gwbl wefreiddiol. Erbyn heddiw, ceir nifer helaeth o wahanol ddulliau o ganu gwerin. Credaf mewn cyfle i ddatblygu a mentro, ond ys dywedodd Mabel Wilff, rhaid hefyd barchu a chadw cymeriad unigryw ein canu gwerin traddodiadol Gymreig.

1 Roedd Mabel Wilfrid Jones yn ferch i'r cerddor R. Wilfrid Jones (1862-1929), oedd yn athro llais, yn arweinydd ac yn gyfansoddwr a hanai o Feirionnydd yn wreiddiol cyn ymsefydlu yn Wrecsam. Ei waith ef yw'r unawd adnabyddus i denor, 'Y Bugail'. Gweler http://yba.llgc.org.uk/cy/c-JONE-ROB-1862.html
2 Er i Pamela ennill y Wobr Goffa yn Eisteddfod Glyn Ebwy yn 1958, sylwn mai yn 2017, hanner cant a naw o flynyddoedd yn ddiweddarach, y cafodd ei derbyn yn aelod anrhydeddus o Orsedd y Beirdd,. Wedi holi, cefais wybod mai'r cofnod cyntaf a geir i enillydd Gwobr Goffa Lady Herbert Lewis gael ei dderbyn yn aelod anrhydeddus o Orsedd y Beirdd ar sail ennill y gystadleuaeth hon yw'r un am Einir Wyn Owen yn Eisteddfod Bangor yn 1971.

5. Goronwy Wynne

Caernarfon: 1959

Caneuon: 'Pren ar y bryn' a 'Pan Oeddwn Gynt yn Fachgen'
Beirniaid: W. S. Gwynn Williams ac Emrys Cleaver

Ganed Goronwy yn 1930. Roedd y teulu ers llawer cenhedlaeth o ardal Cilcain a Licswm rhwng yr Wyddgrug a Threffynnon yn Sir y Fflint. Flynyddoedd yn ôl, Cymraeg oedd iaith naturiol y ddau bentref ond nid felly bellach. Ond fel mewn llawer ardal, doedd dim Cymraeg yn yr ysgol gynradd a dim ond dwy wers yr wythnos yn yr ysgol uwchradd, ond Cymraeg oedd iaith y cartref a'r capel. Roedd canu ac adrodd yn rhan naturiol o fywyd pob dydd. Mynychodd Goronwy Brifysgol Bangor a graddio mewn gwyddoniaeth. Roedd ei fywyd cymdeithasol bron i gyd yn y Gymraeg, a phawb yn canu ddydd a nos. Ar ôl graddio mewn Amaethyddiaeth a Botaneg, bu'n dysgu am gyfnod yn ei hen ysgol uwchradd yn Nhreffynnon. Ymhellach ymlaen,

fe'i penodwyd yn brif ddarlithydd mewn Bioleg yn Athrofa Gogledd Ddwyrain Cymru, Wrecsam. Derbyniodd raddau doethur o Brifysgol Cymru a Phrifysgol Salford. Yn 2014, derbyniodd Fedal Wyddoniaeth yr Eisteddfod Genedlaethol. Cafodd rai gwersi canu, a llawer o hyfforddiant fel aelod o gorau o bob math. Bu ei gysylltiad â Chôr Trelawnyd yn un hir. Bwriodd ei brentisiaeth fel tenor yn y 1950au ac yn ddiweddarach fe'i dyrchafwyd yn arweinydd dros gyfnod o un mlynedd ar ddeg. Roedd eisteddfota yn rhan o'i fywyd, gyda chaneuon gwerin yn rhan o'r patrwm.

Dywedodd Goronwy:

Ar ôl peth llwyddiant mewn adrodd a chanu, dyma fentro yn 1959 i gystadleuaeth Lady Herbert Lewis yng Nghaernarfon. Mae hyn bellach yn niwl y gorffennol. Ond Mi genais 'Pren ar y Bryn' a 'Pan Oeddwn Gynt yn Fachgen'. Ond doedd ennill y cwpan yn ddim ond rhan o'r cyffro, oherwydd roedd Dilys, fy ngwraig, a minnau wedi priodi flwyddyn ynghynt ac ymhen tridiau yn hwylio o Lerpwl i Ganada am flwyddyn. Roeddwn yn dysgu mewn ysgol uwchradd yn Vancouver (tipyn o brofiad!) ac yn canu'n unigol ac mewn corau yn ddiddiwedd. Y teulu yng Nghymru fu'n cymryd eu tro i ofalu am gwpan Lady Herbert.

Ar ôl profiad Canada, dychwelodd Goronwy adre i Gymru Fach – i ymgymryd â gwaith ysgol a choleg a pharhau i fwynhau'r byd canu. Cafodd ragor o wersi, ac fe ganodd unawd unwaith gyda cherddorfa Gymreig y BBC. Yna, bu'n hynod brysur mewn bwrlwm o feirniadu, arwain cymanfaoedd a chorau bach a mawr, cystadlu (ennill a cholli), gwaith ymchwil botanegol a chrwydro Cymru a thramor.

Cyd-ddigwyddiad hollol yw fy mod yn byw o fewn rhyw dair milltir o Blas Penucha, Caerwys, cartref Lady Herbert Lewis, a fu wrthi'n ddyfal yn casglu caneuon gwerin yn yr ardal ac yn yr hen Wyrcws yn Nhreffynnon. Flynyddoedd lawer yn ôl bûm yn recordio caneuon i'w mab, Mostyn Lewis, ond hyd yma, does dim sôn am y tapiau hynny. Cefais, hefyd, y fraint o adnabod merch Lady Herbert, Mrs Kitty Idwal Jones (Alice Catherine Herbert Lewis). Yn 1968, cynhaliwyd Eisteddfod Genedlaethol yng Nghaerwys i ddathlu'r un a gynhaliwyd bedwar can mlynedd yn gynharach yn 1568. Mrs Kitty Idwal Jones oedd yr ysgrifennydd. Roedd hi'n foneddiges arbennig, a chawsom groeso cynnes i bwyllgora yn ei chartref, Plas Penucha.

Mewn canu gwerin, credaf fod rhaid parchu'r egwyddorion sylfaenol, fel ym mhob math o ganu – megis lleisio glân, tonyddiaeth gywir ac amseriad 'call'. Yn fy marn i, dydi'r gair 'gwerin' ddim yn golygu canu llac, ffwrdd-â-hi, rywsut-rywsut.

Yn ôl Goronwy, gwaith canwr yw cyfathrebu a chyflwyno'i gân i'w gynulleidfa, boed yn gynulleidfa o un neu o fil. Y rheolau euraid yw geirio clir, canu'n naturiol – a byw a theimlo'r mwynhad!

6. Anita Williams (1937–2012)

Caerdydd: 1960

Caneuon: 'Y G'lomen' a 'Pan Oeddwn ar Ddydd yn Cyd-rodio'
Beirniaid: Emrys Cleaver a Frances Môn Jones

Ganed Anita Williams yn Nhrimsaran yn 1937, yn chwaer i Peggy Williams (Margaret Thelma Rees), a fu'n bostfeistres yn Nhrimsaran ac a enillodd Wobr Goffa David Ellis (Y Rhuban Glas) yn 1960 a 1964. Bu Anita'n ddisgybl yn Ysgol Trimsaran ac Ysgol Uwchradd Llanelli. Mynychodd Athrofa Coleg y Barri a'i chymhwyso'n athrawes yn ystod cyfnod Norah Isaac yn ddarlithydd yno. Bu'n dysgu mewn ysgolion cynradd lleol nes codi ei phac yn 1962 i agor busnes gwely a brecwast yn Llundain. Bu Anita a Peggy yn aelodau pybyr yn Sardis, Capel yr Annibynwyr, Trimsaran. Fe'i hyfforddwyd gan Fadam Myra Rees (1911-93), Casllwchwr, a oedd yn ysbrydoliaeth ym maes canu gwerin. Roedd ganddi barti, sef Parti Llwchwr, a fu'n llwyddiannus yn y Genedlaethol droeon.

Dywedodd Beth, ei nith:

> Enillodd Anita a Mam lu o gystadlaethau unigol a deuawdau. Byddai'r ddwy'n canu amrywiaeth o ganeuon clasurol mewn cyngherddau ac eisteddfodau, â'r gyfeilyddes arbennig, Madam Florence Holloway, fyddai'n cyfeilio iddynt. Enillodd Anita Wobr Goffa Osborne Roberts i unawdwyr lleisiol dair gwaith yn yr Eisteddfod Genedlaethol: Aberdâr (1956), Glyn Ebwy (1958) a Chaernarfon (1959).

Cofia'r Prifardd T. James Jones lwyfaniad cyntaf ei addasiad Cymraeg ef o ddrama Dylan Thomas, *Dan y Wenallt*, nos Wener, 4 Awst 1967, yn

Nhalacharn dan gyfarwyddyd Gwynne D. Evans. Meddai: 'Roeddwn i'n cymryd rhan y Llais. Roedd doniau canu ac actio Anita yn gweddu i'r dim yn ei pherfformiad o gymeriad Poli Gardis. Gan ei bod yn dod o Drimsaran roedd acenion ei thafodiaith hi'n gaffaeliad hefyd.' Sharon Morgan oedd yn chwarae rhan Mae Rose Cottage yn y cynhyrchiad hwnnw yn Nhalacharn, ac yn ei hunangofiant *Hanes Rhyw Gymraes* (2011), dywed hyn amdani hi ei hun yn chwarae rhan Poli Gardis ymhellach ymlaen yng nghynhyrchiad Cwmni Theatr Cymru o'r ddrama:

> Bob tro y byddwn i'n canu cân hiraethus Poli, ro'n i'n cofio am Anita. Wna i byth anghofio'i chlywed hi'n canu 'Ar Lan y Môr' yn y parti ar y diwedd chwaith [sef ar ddiwedd y perfformiad yn Nhalacharn yn 1967]. Do'n i erio'd wedi clywed canu gwerin fel 'na o'r bla'n, yn gerddorol, yn ystyrlon ac yn dod yn syth o'r galon. Ro'dd hi'n canu'n rhydd, yn chware â'r node fel tase hi'n canu jazz bron, ac yn actio'r gân â'i thechneg ddi-fai wedi'i chuddio'n gelfydd. Llwyddai i gael ei chynulleidfa i ymgolli'n llwyr yng nghyfaredd y gân. (t. 89).

Recordiodd Anita ddeg cân werin ar y record *Folk Songs of Wales* (1970) ac fe ganodd Merêd (Dr Meredydd Evans: 9 Rhagfyr 1919-21 Chwefror 2015) y gweddill. Bu'n canu ar y radio a'r teledu droeon yn y 1960au a'r 1970au cynnar. Pan briododd Anita â John Thomas yn y chwe degau, symudodd y ddau i Lundain i redeg gwesty yn Sgwâr Norfolk. Gweithiai Anita hefyd mewn uned cefnogi plant anystywallt. Yn dilyn ei hastudiaethau yn y Coleg Cerdd Brenhinol yn Llundain daeth yn boblogaidd fel cantores amryddawn oedd yn perfformio mewn arddulliau gwahanol ar lwyfannau-cyngerdd amrywiol. Yn ôl ei nith, Beth, 'Tra'n byw yn Llundain, cafodd Anita'r fraint o ganu opera Menotti, *Amahl and the Night Visitors*, o flaen y Fam Frenhines a'r Tywysog Andrew'. Bu'n weithgar ymhlith Cymry Llundain yr un adeg â Ryan Davies, Rhydderch Jones a Gwenlyn Parry, a bu'n aelod allweddol o'u timau Noson Lawen. Yn 1972, wedi marwolaeth John, priododd y Barnwr David Griffiths (*Dai Pres*), Llywydd Côr Meibion Gwalia. Hi oedd eu hunawdydd swyddogol ar eu teithiau niferus.

Bu Anita'n wael am amser maith, ond yn ôl Beth, dioddefodd yn ddewr iawn ac ni chlywodd hi ei modryb erioed yn cwyno. Treuliodd Anita a Peggy eu blynyddoedd olaf yng nghartref gofal Hafan y Coed, Llanelli. Bu farw Peggy yn 2011 ac fe'i claddwyd ym mynwent Capel Sardis, Trimsaran. Bu farw Anita o glefyd Huntington ar 4 Tachwedd 2012. Claddwyd hi ym mynwent Eglwys San Cadog, Llangadog.

7. Anita Williams (1937–2012)

Dyffryn Maelor: 1961

Caneuon: 'Merch ei Mam' a 'Cwyn Mam yng Nghyfraith'
Beirniaid: Gwen Taylor a Gwyneth Palmer
(gweler 6, tudalen 52)

8. Harry Richards (1935-2017)

Llanelli a'r Cylch: 1962

Caneuon: 'Hiraeth' a 'Mari Fach fy Nghariad'
Beirniaid: Shân Emlyn ac Esme Lewis

Ganed Harry yn 1935 ac fe'i magwyd yn Sarn Pen Llŷn, yn un o wyth o blant. Gweithiodd fel gwas fferm yn Neigwl Ucha', Botwnnog, am ddeugain a saith o flynyddoedd. Am ddeng mlynedd, bu'n byw yn y llofft stabl gyda'i frawd, Y Parchedig Emlyn Richards. Byddent ill dau'n dysgu llu o ganeuon gwerin yn y tafarnau a'r ffeiriau lleol. Byddai Harry'n teithio i Bwllheli'n aml naill ai ar ei feic neu ar y bws. Yn y dref ddiwylliedig honno, clywai amrediad o'i hoff ganeuon gwerin: rhai doniol a hapus. Priododd Harry â Lowri ym mis Rhagfyr 1959 ac ymgartrefodd y ddau yn Sarn Mellteyrn, lle cawson nhw bump o blant. Bu Harry'n weithgar iawn yn ei gymdeithas ac yn gefnogol i'w gapel ac i gymdeithasau diwylliannol, cyngherddau ac eisteddfodau lleol.

Dywedodd ei ferch, Alaw:

Chafodd dad erioed hyfforddiant canu ffurfiol ac ni allai ddarllen yr un nodyn mewn sol-ffa na hen nodiant. Ond roedd ganddo glust dda a chof penigamp. Yn ôl mam ymddangosodd ar raglen *Sêr y Siroedd* pan oedd yn ifanc. Wrth iddo baratoi ar gyfer y rhaglen fe'i rhoddwyd ar ben ffordd gan Olwen Lewis oedd bryd hynny'n athrawes gerdd yn Ysgol Botwnnog. Pan ddysgai 'nhad gân newydd, byddai mam yn ei gynorthwyo drwy chwarae'r alaw ar y piano. Byddai dad yn ei dysgu mewn chwinc. Byddai'n ymarfer yn ddygn o gwmpas y tŷ, yn y car ac wrth ei waith. Dros y blynyddoedd, fe ddysgais innau nifer helaeth o ganeuon gwerin wrth wrando arno. Cefnogai fy nhad eisteddfodau lleol drwy gydol ei oes. Cynhaeaf oes faith o gystadlu oedd iddo ennill Gwobr Goffa Lady Herbert Lewis. Teimlai fod hynny'n anrhydedd werthfawr iawn iddo. Arddull naturiol werinol oedd ganddo wrth ganu. Roedd cyflwyno'r stori'n bwysig iawn iddo a chyfathrebu efo'r gynulleidfa. Byddai wrth ei fodd yn diddanu. Dewisai'r alawon gwerin ar gyfer cystadleuaeth yn ofalus iawn – yn enwedig pan oedd angen cyflwyno dwy alaw gyferbyniol.

Dywedodd Harry hyn mewn cyfweliad â golygydd *Y Cymro*, 13 Hydref 1993, pan lansiodd dâp ohono'i hun yn canu baledi:

Mae ymateb y gynulleidfa yn rhan hanfodol o'r perfformiad, ac yn llinyn mesur i'ch llwyddiant fel diddanwr. Ochri at y digri a'r tynnu coes y bydda i yn bersonol.

Yn ôl Alaw, roedd Harry yn falch fod yr Eisteddfod wedi sefydlu'r Tŷ Gwerin ar y maes a byddai wrth ei fodd bod yno yn y gynulleidfa. Er hynny, credai fod cadw naws werinol i'r canu yn bwysig, credai'n gryf fod angen parhau i lwyfannu canu gwerin ar y prif lwyfan. Roedd o'r farn fod arddangos y grefft o ganu gwerin yr un mor bwysig ag arddangos gweithgareddau eraill.

Buom yn ceisio dyfalu o'i restr o hoff ganeuon gwerin beth fyddai wedi ei ddewis i'w chanu yn y tair cystadleuaeth a enillodd. Cofiem mai ei ffefrynnau o'r alawon lleddf oedd 'Hiraeth', 'Yr Eneth Glaf' a 'Beth yw'r Haf i Mi?' Yna, o'i ganeuon hwyliog, 'Mari Fach Fy Nghariad', 'Yr Hen Wyddeles' ac 'Yr Hogen Goch' oedd ei ffefrynnau.

Bu farw Harry ar Fedi 24 2017, yn 82 oed. Dyma'r englyn sydd ar ei fedd ym mynwent Eglwys Llandegwning ar gyrion pentref Botwnnog.

> Ei lais o hyd sy'n glasu hen eiriau
> Cân werin wrth dynnu
> Ar gof o'r llafurio fu,
> Ac ynom deil i ganu.
>
> *Gareth Neigwl*

9. Margaret Williams

Llandudno a'r Cylch: 1963

Caneuon. 'Y Fenyw Fwyn' a 'Cwyn Mam yng Nghyfraith'
Beirniaid: Emrys Cleaver a Frances Môn Jones

Ganed Margaret ym Mrynsiencyn, Ynys Môn, yn 1941. Mynychodd Ysgol Gynradd Brynsiencyn ac Ysgol Uwchradd Biwmares. Cafodd wersi canu a phiano drwy gydol ei harddegau, gan gystadlu mewn eisteddfodau, a chanu mewn llu o gyngherddau a nosweithiau llawen. Yn un ar bymtheg oed, fe'i derbyniwyd i Goleg Cerdd Brenhinol y Gogledd ym Manceinion. Fodd bynnag, gorfu iddi ddisgwyl am ddwy flynedd cyn mynychu'r cwrs am resymau cyllidol. Enillodd nifer o brif wobrau canu yn yr Eisteddfod Genedlaethol, yr Urdd, ac Eisteddfod Gerddorol Ryngwladol Llangollen. Margaret oedd enillydd cyntaf *Cân i Gymru* yn 1969. Fe'i derbyniwyd i Athrofa'r Coleg Normal, Bangor, ar gwrs hyfforddi athrawon. Yna fe'i penodwyd yn athrawes yn Ysgol Gynradd Biwmares. Yn fuan wedyn, priododd y darlledwr Geraint Jones a chawsant ddau o blant, Iwan a Manon. Ar ôl symud i

Gaerdydd, dechreuodd Margaret ganu'n broffesiynol mewn cyfresi teledu amrywiol. Yn 1970, darlledwyd *Margaret*, ei chyfres gyntaf ei hun. Cyfeiriodd Shân Cothi ati fel 'y Joan Collins Gymreig' ac oherwydd hirhoedledd ei gyrfa, 'yn drysor cenedlaethol'.

Dywedodd Margaret:

Teimlaf yn ffodus i mi gael fy magu ar aelwyd gerddorol mewn pentref cerddorol yng Nghymru. Pan o'n i'n tyfu i fyny, roedd Brynsiencyn yn un bwrlwm o gân. Roedd canran uchel ohonom yn perthyn i gôr plant y pentra a phan oeddem tua phum mlwydd oed byddem yn cystadlu a chanu mewn cyngherdda'. Yn un ar bymtheg oed, ymaelodais yng nghôr mawr y pentra a Chôr Ieuenctid Môn. Byddem yn dysgu darnau corawl ar gyfer cystadlaethau'r Eisteddfod Genedlaethol. Roedd hon yn dasg eithriadol o foddhaol i mi. Roedd Côr Cymysg Brynsiencyn, côr yr oedd fy rhieni a'm dau frawd yn perthyn iddo, wedi ennill yn Eisteddfod Genedlaethol, Llanrwst. Daeth y newyddion da a chyffrous i'r pentra' ar ffôn y siop dros y ffordd. Taflodd nain gôt dros fy mhyjamas ac i ffwrdd â ni i fyny i'r sgwâr i ymuno â'r dyrfa. Sôn am ganu pan gyrhaeddodd y bws! Yna i_ffwrdd â ni adra – i ganu a dathlu mwy!

Rhoes Margaret deyrnged i'w mam yn ei hunangofiant *Margaret* (Gwynfryn, H., Gwasg Gomer, Mawrth 2018) am iddi ymdrechu'n galed yn erbyn poenau'r cryd cymalau pan oedd yn ifanc i fagu

Margaret a'i dau frawd. Byddai'n mynd â Margaret i eisteddfodau a chyngherddau ar draws y wlad er mwyn iddi fagu hyder ar gyfer yr yrfa oedd yn ei phen a'i breuddwydion. Roedd ei mam, meddai, yn allweddol i ddatblygiad ei gyrfa yn ogystal ag i'w bywyd personol. Hi oedd y dylanwad mwyaf oll arni (t.124).

> Margaret Bryn yw fy enw eisteddfodol. Yn 1959, yn Eisteddfod yr Urdd Llanbedr Pont Steffan, enillais y ddeuawd dan 19 gyda'm ffrind Elizabeth o Landegfan. Yna, yn 1961, enillais yr unawd cerdd dant ym Mrynaman, ac yn 1962 yr alaw werin yn Nolgellau. Byddwn yn mwynhau canu gwerin, a cherdd dant, oherwydd gallwn ymlacio i ddweud stori ar gân. Gan mai'r stori oedd bwysica', doedd dim angen gofalu cymaint am gywirdeb cerddorol. Byddwn hefyd yn mwynhau'r rhyddid o ganu'n ddigyfeiliant, a'r her o orffen yn y cyweirnod dechreuol.
>
> Felly, penderfynais fentro ar gystadleuaeth Gwobr Goffa Lady Herbert Lewis yn Eisteddfod Llandudno a'r Cylch yn 1963. Cefais wefr arbennig iawn pan enillais y cwpan. Y darn gosod oedd 'Y Fenyw Fwyn', ac fel ail gân wrthgyferbyniol fy newis i oedd un o'm ffefrynnau, sef 'Cwyn Mam yng Nghyfraith'. Does gen i fawr ddim co' o'r rhagbrawf, a dim ond rhyw frith gof o ganu ar lwyfan y Brifwyl. Enillais droeon ar ganu gwerin, yr unawd, a cherdd dant gyda Francis Môn yn beirniadu a byddwn yn parchu ei phrofiad a'i barn. Byddwn yn petruso braidd ynghylch llygad barcud Emrys Cleaver wedi i mi sylwi ar ei arddull siarp ar ei raglenni radio. Fodd bynnag, y tro hwn, roedd yn gwrtais a charedig iawn. Wrth fwrw golwg yn ôl, sylweddolaf fod ennill y gystadleuaeth hon wedi bod yn garreg filltir werthfawr ar ddechrau fy ngyrfa.

Soniodd Margaret yn ei hunangofiant am ddatblygiadau diddorol eraill a ddeilliodd yn sgil y gystadleuaeth benodol hon.

> Priododd fy mab, Iwan, yn 2004 efo Sioned, ac yn rhyfedd iawn mae 'na gysylltiad eisteddfodol rhwng Sioned a minna. Pan oeddwn i'n cystadlu am Wobr Goffa Lady Herbert Lewis, roeddwn i'n rhannu llwyfan efo Buddug Lloyd Roberts, nain Sioned. Fyddai hi ddim yn iawn i mi ddweud pwy enillodd rhag ofn i'r darllenydd feddwl fy mod yn clochdar, ond Buddug ddaeth yn ail! (t.126)

Mae Margaret yn disgrifio'r llais fel 'offeryn gwerthfawr'. Mae'n sôn iddi fynd ar daith efo John Hanson yn y sioe *Rose Marie*, yn y saith degau.

Roeddwn i'n canu bob nos, a dwywaith y diwrnod ar ddydd Mercher a dydd Sadwrn. Chollais i'r un perfformiad, na cholli fy llais chwaith, a hynny, dw i'n siŵr, oherwydd bod y gwersi roeddwn i wedi'u cael yn ifanc wedi fy nysgu i ganu heb roi straen ar fy llais. (t.138)

Dywedodd Margaret ei bod yn parhau i wrando ar ganu gwerin, gan ei bod mor gyfarwydd â'r caneuon:

Cofiaf fy sgyrsiau difyr gyda'r hoffus faledwr, Harry Richards. Roeddem ill dau'n cytuno mai dweud stori ar gân mewn ffordd bersonol oedd ein hathroniaeth wrth ganu gwerin. Mae'n braf fod cantorion heddiw yn parhau i werthfawrogi'r anrhydedd a'r wefr o ennill Gwobr Goffa Lady Herbert Lewis. Yn y chwe degau, denodd Merêd grwpiau amrywiol i berfformio ar raglenni megis *Hob y Deri Dando*. Byddwn wrth fy modd pan fyddai Merêd yn dewis caneuon imi ganu ar ei raglen a'r wefr fwyaf oedd canu deuawd hefo fo.

Mae Margaret yn credu bod canu gwerin yn cwmpasu nifer o wahanol fathau o ganu, gan gynnwys y bandiau gwerin, ac meddai:

Gobeithiaf yn fawr y bydd canu gwerin yn parhau i berthyn i bawb i'r dyfodol, ac na fydd unrhyw berygl iddo ddatblygu'n ddiwylliant caeedig i *arbenigwyr* yn unig.

10. Elfed Lewys (1934–1999)

Abertawe a'r Cylch: 1964

Caneuon. 'Trafaelais y Byd' ac 'Ar gyfer Heddiw'r Bore'
Beirniaid: Esme Lewis ac W. S. Gwynn Williams

Ganed Elfed Lewys ym Modringallt yn 1934. Roedd yn bregethwr, yn faledwr, yn actor ac yn hyfforddwr pobl ifanc. Yn 1928, ordeiniwyd ei dad, Morley Lewis, yn weinidog gyda'r Annibynwyr ym Modringallt, Cwm Rhondda, ac yno y ganed Elfed a'i frawd Eifion. Yn rhinwedd galwedigaeth ei dad, symudodd y teulu i Grymych yn 1942 ac i Gefneithin yn 1953. Ei dad-cu ar ochr ei dad oedd John Lewis, teiliwr ym Mlaen-y-coed, ger Cynwyl Elfed yn Sir Gaerfyrddin, a ddaeth yn gerddor o fri, yn godwr canu, yn feirniad eisteddfodau lleol ac yn arweinydd côr. Brawd John oedd Howell Elvet Lewis (*Elfed*; 1860-1953), y pregethwr a'r emynydd enwog, ac Archdderwydd Cymru o 1924 tan 1928. Fel ei frawd Eifion, penderfynodd Elfed ddilyn ei dad i'r weinidogaeth. Wedi gorffen ei gwrs, gwasanaethodd fel gweinidog yn Nhyddewi, Ffostrasol, Cwm Gwendraeth a Llanfyllin. Priododd Elfed ag Ann ym Mlaenau Ffestiniog ddydd Calan 1974; ei was priodas oedd Arfon Gwilym*.

Dywedodd Arfon Gwilym:

> Byddai'n braf meddwl bod pob un enillydd Gwobr Lady Herbert Lewis wedi gosod stamp ei bersonoliaeth unigryw ei hun ar ei ganeuon/ei chaneuon. Yn achos Elfed Lewys, ni fu erioed unrhyw amheuaeth. Roedd ganddo farn bendant iawn am ganu gwerin. Yn wir, roedd o'n teimlo mor gryf ynglŷn â'r ffordd gywir o gyflwyno cân werin fel bod beirniadu mewn eisteddfodau, bach a mawr, yn gallu mynd yn fwrn

arno weithiau. Clywais stori amdano'n mynd i ragbrawf ac wedi methu cael ei blesio gan unrhyw gystadleuydd. Gyda chydwybod glir, methai'n lân â gweld sut y gallai roi neb ar y llwyfan. Felly, cyn gwneud unrhyw gyhoeddiad, fe aeth allan o'r adeilad a chanfod un neu ddau o ymgeiswyr posibl eraill oedd yn sefyllian o gwmpas y lle. Gofynnodd iddynt ganu unrhyw gân oedd ar eu cof, heb ymarfer. Cafodd ei blesio cymaint gan naturioldeb eu canu fel y rhoddodd lwyfan iddynt! Ysbryd y perfformiad oedd yn bwysig i Elfed, ac nid y manion bethau. Roedd ganddo ddawn reddfol i ddidoli'r canwr gwerin go iawn oddi wrth y rhai oedd yn 'gor-berffeithio' a 'gor-gaboli' caneuon. Credai fod gor-baratoi yn peri i'r cantorion golli eu naturioldeb a'u naws fyrfyfyr, anffurfiol. Byddai'n gas ganddo unrhyw rodres. Collai amynedd gyda beirniaid oedd yn craffu'n ormodol ar nodau a geiriau'r copi gan ddyfarnu nad oedd y perfformiad yn cyfateb yn berffaith â'r hyn a glywid gan y cystadleuydd. Roedd ei amynedd yn deneuach fyth gyda rhieni a hyfforddwyr oedd yn colli cwsg dros fân anghysonderau mewn caneuon printiedig. Wedi'r cyfan, gan mai ar lafar yr oedd y caneuon hyn wedi eu cofnodi yn y lle cyntaf, roedd sawl fersiwn ar gael yn wreiddiol. Fodd bynnag, dim ond un o'r fersiynau hynny fel arfer oedd wedi eu cofnodi a'u hargraffu. Fel canwr gwerin ei hun, meddai Elfed ar lais nerthol – ond fe allai gyflwyno cân dawel a theimladwy'n llawn mor effeithiol â chân fywiog a hwyliog. Credai mewn cymryd ei ryddid wrth ganu. I'r perwyl hwnnw, byddai weithiau'n ailadrodd llinell yng nghanol pennill er mwyn pwysleisio agwedd. Byddai hynny'n gwneud cyd-ganu ag Elfed yn dasg anodd! Efallai mai'r peth pwysicaf un am Elfed oedd ei ddiddordeb angerddol yn y caneuon, eu hanes a'u cefndir, ac yn y traddodiad gwerin yn gyffredinol. Cadwai ei glustiau ar agor am unrhyw gân nad oedd wedi ei chofnodi, ac ni fyddai dim yn rhoi mwy o lawenydd iddo na darganfod hen gân newydd arall. Yn ogystal â hyn, roedd ganddo sêl 'efengylaidd' dros boblogeiddio'r caneuon hyn ac ennyn diddordeb newydd ynddynt ble bynnag yr âi. Ym merw protestiadau Cymdeithas yr Iaith ddiwedd y 1960au a dechrau'r 1970au y dois i ar ei draws, ac yn ystod unrhyw achlysuron cymdeithasol ar ddiwedd rali neu brotest, byddai Elfed yn morio canu un gân werin ar ôl y llall. Byddai yn ei afiaith yn arwain a chodi'r canu. Nid rhyw atodiad oedd hyn i'w gariad at ei wlad a'i iaith ond rhan hanfodol o'i gymeriad, rhywbeth greddfol. Dyna a'i gwnâi'n wahanol.

Dywedodd Siân, chwaer Elfed:

> Bu farw Elfed yn sydyn iawn ar ein haelwyd ni ym Mhontypridd ar 11 Chwefror 1999. Cynhaliwyd ei angladd ym Mhont-iets ac fe gladdwyd ei weddillion ym medd ein mam, ym mynwent Capel Pen-y-groes, ger Crymych.

Ysbrydolodd Elfed ieuenctid dirifedi o Fôn i Fynwy ar draws y blynyddoedd, ond yn ardal Llanfyllin, wedi iddo sefydlu Aelwyd Pen-llys, y gadawodd ei farc fwyaf. Cyhoeddwyd bywgraffiad ohono gan Ioan Roberts, *Elfed: Cawr ar Goesau Byr*, yn 2000.

* Canwr gwerin a cherdd dant, baledwr a chyhoeddwr, yw Arfon Gwilym. Fe'i ganed yn 1950 yn Rhydymain, pentref bach rhwng Dolgellau a'r Bala. Daw o deulu cerddgar. Treuliodd flynyddoedd lawer yn byw yn Sir Drefaldwyn. Bu'n gweithio i'r *Cymro* am ddeng mlynedd, ac yn ystod y cyfnod hwnnw, ac yntau'n byw ym Meifod a Llanfyllin, bu ganddo gysylltiad agos iawn ag Aelwyd Pen-llys. Bu hefyd yn rhedeg busnes ym Mhen-y-bont-fawr am flynyddoedd. Ei brif waith erbyn hyn yw rheoli Cwmni Cyhoeddi Gwynn, sy'n arbenigo mewn cyhoeddi cerddoriaeth werin a chlasurol.

11. Buddug Lloyd Roberts

Maldwyn: 1965

Caneuon: 'Beth Wneir â Merch Benchwiban?' ac 'Angau'
Beirniaid: Eunice Davies a Gwyneth Palmer

Ganed Buddug yn 1925 ac fe'i magwyd yn Llan Ffestiniog, cymuned Gymraeg yng nghanol ardal lechi. Bu'n aelod o barti canu o ferched lleol dan arweiniad E. Lewis Jones, athro cerdd Ysgol Eifionydd, a cherdd dant yn brif ddiléit iddo. Ni chafodd Buddug erioed wersi llais ffurfiol. Priododd David Lloyd Roberts yn 1950, ymgartrefodd y ddau yng Nghricieth a chawsant ddwy ferch, Rhian a Mai.
  Dywedodd Buddug:

> Pan gyhoeddwyd y byddai Eisteddfod Genedlaethol 1955 yn dod i Bwllheli, awgrymodd Lewis Jones y dylwn gystadlu ar y gân werin.

Hwn oedd y tro cyntaf erioed i mi feddwl am y ffasiwn beth! Dysgais ddwy gân ar gyfer y gystadleuaeth, ac er mawr syndod imi cefais lwyfan! Sôn am sioc! Does gen i fawr o gof o'r rhagbrawf, ond yn amlwg fe gyrhaeddais y llwyfan! Roedd y Pafiliwn yn orlawn gan fod Seremoni'r Cadeirio yn dilyn, ac am ychydig funudau anghofiais yn llwyr eiriau'r gân gyntaf. Wrth lwc, roedd gan yr arweinydd, Huw Jones, gyhoeddiad byr i'w wneud. Rhoddodd hynny funud neu ddau i mi setlo – a chofio'r geiriau! W. S. Gwynn Williams oedd un o'r beirniaid, a chefais ail yn y gystadleuaeth, un marc yn llai na'r enillydd, sef Emrys Jones Llangwm, oedd yn gystadleuydd profiadol iawn.

Cofiai Buddug fod ar y llwyfan pan gyflwynodd Dr Herbert Mostyn Lewis, mab Lady Herbert Lewis, y tlws i'r Eisteddfod Genedlaethol er cof am ei fam. Cofiai mai ef, hefyd, a gyflwynodd y tlws i'r enillydd cyntaf erioed, sef Emrys Jones.

Yn 1963, rai blynyddoedd yn ddiweddarach, ar ôl magu teulu, bu imi gystadlu eto yn Llandudno, a dod yn ail eto. Yna, yn 1965, yn Eisteddfod Maldwyn, penderfynais fynd amdani, ac ennill! Yn dilyn hynny, cefais wahoddiad i ymddangos ar sawl rhaglen deledu a radio, a chael mwynhad mawr o'r profiad. Bûm hefyd yn diddanu mewn sawl dathliad Gŵyl Dewi a chyngherddau, yng Nghymru ac yn Lloegr. Ar y pryd, roedd Huw Williams, Bangor, yn gwneud ymchwil i alawon gwerin a gofynnodd i mi recordio rhai caneuon. Ymhen amser, fe recordiwyd rhaglen i blant o'r enw *Helo, Blant*, gydag Elinor Bennett yn cyfeilio. Bu'n boblogaidd, rwy'n credu, gan fod sawl un wedi dod ataf gan ddweud, 'Rydan ni'n eich cael i frecwast, te a swper, a phob taith yn y car'. Yna bu rhagor o recordio alawon gwerin ar gyfer oedolion. Ymhellach ymlaen eto, fe'm comisiynwyd i baratoi llyfryn yn ganllaw i athrawon iddyn nhw ddysgu alawon gwerin i blant. Es ati i ddethol alawon gwerin addas i blant ysgol eu canu ynghyd â nodiadau ar gefndir yr alawon. Cafodd hwnnw groeso, a chefais gais i baratoi tri llyfryn arall, ynghyd â chyfeiliant piano syml. Yn 1993, seiliwyd *Detholiad o Alawon Gwerin* ar y pedwar llyfryn dechreuol (Lloyd Roberts, B, 1993).

Arweiniodd diddordeb Buddug mewn alawon gwerin iddi ymaelodi â'r Gymdeithas Alawon Gwerin. Bu'n aelod am dros hanner can mlynedd, yn ysgrifennydd am dros ddeng mlynedd ar hugain ac yna'n Is-lywydd y Gymdeithas:

> Cefais y fraint o gydweithio â swyddogion adnabyddus, gwybodus a dylanwadol iawn y Gymdeithas fel cadeirydd a llywydd. Chwaraeodd y Gymdeithas ran fawr yn fy mywyd, a chefais fwynhad o dderbyn ymholiadau am ein traddodiadau gan bobl o bob cwr o'r byd. Cefais lawer o bleser hefyd o deithio o amgylch cymdeithasau yn rhannu straeon cefndirol am ein caneuon traddodiadol. Credaf ei bod yn bwysig iawn inni drosglwyddo hanes ein halawon ac yn arbennig i roi sylw i waith cynnar yr Athro John Lloyd Williams*. Holwyd fi am dardddiad caneuon gan sawl myfyriwr o Brifysgol Bangor, dan diwtoriaeth Wyn Thomas a Stephen Rees. Cefais hefyd y fraint o feirniadu mewn nifer fawr o eisteddfodau.

Mae Buddug yn ffafrio arddull canu gwerin mor naturiol â phosibl. Nid yw'n credu bod *props*, fel cap stabl, yn ychwanegu unrhyw beth ato. Mae'n falch iawn fod y diddordeb yn ein halawon traddodiadol wedi cynyddu, a bod y diwylliant gwerinol hwn yn derbyn llawer mwy o sylw ar y cyfryngau ac ar lwyfannau amrywiol yn lleol ac yn genedlaethol.

---

* John Lloyd Williams (1854-1945): Un o sylfaenwyr Cymdeithas Alawon Gwerin Cymru a golygydd cyntaf cylchgrawn y Gymdeithas. Yn un o ddisgynyddion William Salesbury, fe'i ganed ym Mhlas Isaf, Llanrwst. Yn 1875, fe'i penodwyd yn brifathro Ysgol Garndolbenmaen. Yn 1931, daeth yn olygydd y cylchgrawn cerddoriaeth, *Y Cerddor*. Yna bu ef ac Arthur Somerell yn olygyddion *Welsh Melodies* (Boosey & Co., 1907 a 1909), casgliad gwerthfawr o hen gerddoriaeth goeth iawn. Cyflwynodd bapur i Anrhydeddus Gymdeithas y Cymmrodorion ym

mis Ionawr 1908, dan y teitl, 'Welsh National Melodies and Folk-Songs'. Ym Mhrifysgol Bangor, sefydlodd gôr o fyfyrwyr o'r enw 'Y Canorion', oedd yn arbenigo mewn canu ac ymchwilio cefndir alawon gwerin Cymreig traddodiadol. Drwy hyn aethpwyd ati i ddarganfod a chatalogio caneuon i greu casgliad sylweddol a gwerthfawr.

12. Elfed Lewys (1934–1999)

Aberafan a'r Cylch: 1966

Caneuon. 'Tafarn y Rhos' a 'Yr Hen ŵr Mwyn'
Beirniaid: Shân Emlyn ac Esme Lewis
(gweler 10, tudalen 60)

13. Carys Puw Williams

Sir Feirionnydd, Y Bala: 1967

Caneuon: 'Lliw'r Heulwen' ac 'Y Gelynnen'
Beirniaid: Enid Parry a Buddug Lloyd Roberts

Ganed Carys yn 1944 ac fe'i magwyd yn Cynythog Bach, Llidiardau, ger y Parc, Y Bala, yn ferch i Caradog Rhys ac Anni. Ganed iddynt bedwar o blant, sef William/Bili (1930), Dilys (a fu farw o'r frech goch yn 20 mis oed), Elizabeth/Beti (1941) a Carys. Roedd yr aelwyd hon yn llawn sain a swn alawon Cymreig. Bu Caradog yn aelod o barti canu Tai'r Felin. Byddai'n mwynhau dawnsio ac enillodd step y glocsen yn Eisteddfod Genedlaethol Llanrwst yn 1951, pan gyflwynwyd y gystadleuaeth gyntaf, a hefyd yn y

Rhyl yn 1953. Mae Carys a Beti'n parhau i hyfforddi ieuenctid i ganu alawon gwerin a cherdd dant ac mae'r ddwy'n feirniaid yn yr Eisteddfod Genedlaethol. Roedd eu tad, Caradog Rhys Puw (1892-1956) yn ganwr brwd, yn hyfforddwr, yn feirniad ac yn feistr ac enillydd cenedlaethol ar 'ganu cylch', cerdd dant a dawnsio. Yn naturiol felly, llifodd y sgîl a'r diddordeb i wythiennau'r tri phlentyn. Roedd gan Caradog yntau lu o alawon gwerin ar ei gof. Datblygodd hyn yn sgil traddodiad llofft stabl ar fferm Cynythog Bach. Bryd hynny, roedd y gweision a'r gweithwyr yn ymgynnull i'w diddori eu hunain fin nos. Yn ogystal â hynny, roedd carchar agored yn Frongoch a dôi rhai o'r Gwyddelod a'r Eidalwyr i'r fferm, gan ddod â'u diwylliannau a'u dylanwadau diddorol gyda nhw. Stepio yw'r unig agwedd di-dor o ddawnsio gwerin traddodiadol Gymreig. Yn y 1940au, roedd nifer yn cofio gweld Caradog Puw a Hywel Wood* yn cydrannu llwyfan.

Priododd Carys â'r Parchedig Meurwyn Williams a chawsant ddwy ferch, Non a Sara Gwilym, sydd yn cystadlu eu hunain. Maent yn parhau i gadw'r traddodiad yn fyw gyda'u plant, Elliw, Awen, Mei ac Alaw.

Dywedodd Carys:

> Byddai Cynythog yn llawn o unigolion a phartïon yn ymarfer a pharatoi i gystadlu. Yn sgil hynny, roeddwn yn gyfarwydd â llu o alawon. Cofiaf i Dr Tom Parry a'i briod, Enid, ddod draw i wrando ar rai o'r alawon oedd ar gof fy nhad a'u cofnodi.
>
> Dechreuais gystadlu yn ddwy a hanner oed yng Ngŵyl yr Ysgol Sul, Neuadd Buddug y Bala. Roedd Mam wedi sicrhau bod fy chwaer, Bet, a minnau'n edrych yn dwt a thaclus i gystadlu. Penderfynodd Lisa Erfyl fy rhoi i ar y llwyfan er mawr sioc i mam! Fodd bynnag, ail ges i, a Bet a enillodd. Yn ddiweddarach, cystadlu, ennill a cholli oedd patrwm fy mywyd! Beth bynnag fo'r dyfarniad, daliais ati i gystadlu'n lleol. Yna, yn Eisteddfod yr Urdd, Pontarddulais, 1949, pan oeddwn yn bump oed, enillais yr Unawd dan 8. Enillai'r tri ohonom – fy chwaer, fy mrawd a minnau – yn rheolaidd, yn unigol, yn ddeuawd ac fel Triawd Cynythog. Enillais droeon yn Eisteddfodau'r Urdd a'r Genedlaethol. Fodd bynnag, doedd dim cystadleuaeth alaw werin dan 12 tan 1983. Felly, er imi ddysgu llawer o alawon yn ysgolion y Bala, Ysgol Gynradd Maesywaun

ac Ysgol Ramadeg y Merched, ni chystadlais yn yr adran hon nes cyrraedd fy arddegau hwyr yn Athrofa'r Coleg Normal, Bangor, a hynny yn yr ŵyl Cerdd Dant.

Yna, ar ôl cystadlu yn yr Eisteddfod Ryng-golegol, gofynnodd Alwyn Samuel i mi recordio dau dâp ar gyfer ei raglen radio fore Sadwrn *Tipyn o Fynd*. Gofynnwyd imi recordio alawon oedd yn bur ddiarth i mi megis 'Beth yw'r Haf i Mi?' a 'Hiraeth am Feirion'. Yna derbyniais wahoddiad gan Merêd i ymddangos ar ei raglen deledu, *Hob y Deri Dando*. Cyflwynodd doreth o alawon gwerin i mi eu dysgu a'u perfformio ac roedd hynny'n fwynhad pur i mi.

Ar ôl gorffen yn y coleg, symudais i fyw i Drawsfynydd lle'r oedd fy ngŵr, Meurwyn, yn weinidog. Fe'm perswadiwyd i ffurfio Parti Cerdd Dant gan fod Eisteddfod Genedlaethol Sir Feirionnydd yn y Bala yn 1967. Hwn oedd y tro cyntaf imi osod cerdd dant i barti. Er mawr syndod, daethom yn drydydd.

Wrth gwrs, roedd fy mam yn awyddus i mi gystadlu fy hun ac fe benderfynais gystadlu ar gystadleuaeth Gwobr Goffa Lady Herbert i'w phlesio hi. 'Sgen i ddim llawer o gof paratoi ond penderfynais ganu 'Lliw'r Heulwen' a 'Y Gelynnen' gan fod Buddug Lloyd Roberts yn beirniadu. Mentrais arni ac, yn ffodus i mi, roedd hi'n tywallt y glaw'r pnawn Sadwrn hwnnw am 3 o'r gloch. Dyna lle'r oeddwn innau'n canu am 'law neu od' ac yn methu peidio â sylwi bod y glaw yn bownsio oddi ar do'r hen bafiliwn! Cefais gryn ymateb gan y gynulleidfa! Ymateb brwd y gynulleidfa aeth â hi, dw i'n meddwl. Fuodd y cwpan hardd ond gen i am bedwar mis, cyn i Meurwyn a finnau symud i Detroit, Unol Daleithiau'r America, yn 1968.

Yno, cawsom gyfleoedd i greu rhaglenni difyr o gerdd dant, alawon gwerin a cherddi amrywiol i Gymdeithasau Cymraeg Chicago, Toronto, Columbus ac ardaloedd Ohio a Wisconsin, a'r uchafbwynt difyr oedd creu rhaglen yn Buffalo yn y Gymanfa Genedlaethol. Wedi dychwelyd i'r Brithdir a Phenygroes, bu'r hen raglen yn diddanu cymdeithasau niferus cyn inni symud eto fyth i Gaerdydd. O ganlyniad, bu gennyf bartïon cerdd dant ac alawon gwerin ymhob ardal – Merched Prysor, Rhydymain, Parti Lleu a Thannau Taf, gan fwynhau eu hyfforddi.

Dysgodd Carys gan ei theulu mai'r hyn sydd bwysicaf mewn canu gwerin yw mynd dan groen y geiriau, cyflwyno'n naturiol, cadw tonyddiaeth lân a chysylltu'n agos gyda'r gynulleidfa. Mae hi'n mwynhau trefniannau o'r alawon, dim ond iddynt beidio â chymylu'r alaw. Mae'n credu'n gryf y dylem warchod ein cyfoeth rhyfeddol o'r alawon gwerin sydd gennym fel cenedl a'i bod yn fraint 'bod ynglŷn â nhw'.

* Hywel Wood, ffidlwr a dawnsiwr, aelod o deulu Abram Wood, Y Bala. Bu'n gweithio ar fferm Pant y Neuadd, Y Bala, am 40 mlynedd. Mae'n debyg mai ef oedd yr olaf o'i lwyth i fedru siarad Cymraeg-Romani. Yn 1949, ymddangosodd Hywel yn y ffilm 'The Last Days of Dolwyn' (y cyfarwyddwyr oedd Russell Lloyd ac Emlyn Williams, a'r actorion Richard Burton, Edith Evans ac Emlyn Williams. Bu farw Hywel yn 1967.

14. Llewela Davies (Edwards yn 1975)

Y Barri: 1968

Caneuon: 'Lliw'r Heulwen' a 'Torth o Fara'
Beirniaid: J. Aldon Rees a Morfudd Maesaleg

Ganed Llewela yn 1946 ac fe'i magwyd yn Saron ger Rhydaman. Mynychodd Ysgol Gynradd Saron, Ysgol Ramadeg Rhydaman a Choleg Gwyddor Cartref, Caerdydd. Yn 1967, fe'i penodwyd yn athrawes yn Ysgol Uwchradd Ardudwy Harlech. Priododd Gareth Edwards yn 1970. Erbyn hyn maent yn byw yn Llanaber ger Abermo a chanddynt ddau o blant a chwech o wyrion. Roedd yn un o aelodau cyntaf Côr Gwerin y Gader dan hyfforddiant Emrys Bennett Owen. Bu'r côr yn llwyddiannus mewn Eisteddfodau Cenedlaethol a gwyliau cerdd dant. Mae'n aelod ffyddlon o Gapel yr Annibynwyr, Siloam, Abermo, Merched y Wawr a Chymdeithas Gymraeg Abermo.

Dywedodd Llewela:

> Dechreuais gystadlu mewn eisteddfodau lleol yn bedair oed, yn canu ac adrodd, ac yn mwynhau'r profiad. Bûm yn canu alawon gwerin ers cyn cof. Madam Beynon, Cymraes lân loyw, oedd fy athrawes ganu yn

fy mhlentyndod a'm hieuengoed. Byddwn yn cerdded ryw filltir a hanner o Saron i Blaenau yn rheolaidd ar gyfer y gwersi hynny.

Yn ôl Llewela, byddai Madam Beynon yn pwysleisio technegau penodol wrth ei dysgu i ganu gwerin megis cadw at arddull hollol naturiol, cyfleu'r stori'n glir i'r gynulleidfa, lliwio geiriau, a dim ystumiau. Ar ôl gadael yr Ysgol Uwchradd, dysgodd Llewela ei hun, gan fewnoli'r cyfan a ddysgodd gan Fadam Beynon.

Bu Llewela'n cystadlu'n gyson mewn eisteddfodau lleol a chenedlaethol, gan gynnwys yr Urdd. Yn 1967, enillodd Wobr Goffa Lady Herbert Lewis yn Eisteddfod y Barri ac fe ganodd 'Lliw'r Heulwen' a 'Torth o Fara'. Yn 1975, wrth baratoi ar gyfer Eisteddfod Cricieth, dewisodd 'Lliw Gwyn Rhosyn yr Haf' i ganu'n gyntaf ac yn ail 'O, Felly'n Wir', a fuasai'n ffefryn ganddi ar hyd y blynyddoedd.

> Credaf fod i ganu gwerin le ar lwyfan Eisteddfodau, yn ogystal ag mewn digwyddiadau cymdeithasol megis nosweithiau llawen, cyngherddau a chymdeithasau amrywiol.

15. Myron Lloyd

Y Fflint: 1969

Caneuon: 'Yn y Dechreuad' a 'Cwyn Mam yng Nghyfraith'
Beirniaid: Emrys Bennett Owen ac Olwen Lewis

Magwyd Myron ar fferm yn Llandysilio, Sir Benfro, yn agos i'r ffin sy'n igam-ogamu gyda Sir Gaerfyrddin. Ymgartrefodd hi a'i phriod, y diweddar Gwyn Lloyd, yn Llanegryn cyn symud i fyw i Rhuthun, lle ganed eu mab, David. Mae'n arbenigo ym maes hanes alawon gwerin ac yn boblogaidd gyda chymdeithasau amrywiol ei bro. Mae'n wyneb cyfarwydd fel unawdydd a beirniad ar lwyfannau eisteddfodau, gwyliau a chyngherddau. Hi yw cadeirydd presennol Cymdeithas Alawon Gwerin Cymru.

Dywedodd Myron:

Adrodd! Ie, adrodd dan 8 oed, oedd y gystadleuaeth gyntaf erioed i mi ei hennill, ond canu aeth â'm bryd yn fuan wedyn. Cofiaf ganu deuawd alaw werin am y tro cyntaf yng Nghapel Pisgah, Llandysilio. Un o fechgyn y dosbarth Ysgol Sul oedd yr holwr yn y gân 'Ble'r Wyt Ti'n Myned, yr Eneth Ffein Ddu?' Roeddwn innau mewn bonet a ffedog fach wen, bwced mewn un llaw a stôl fach dair coes yn y llall, yn ateb, 'Myned i Odro, O Syr, mynte hi'. John Davies, Felin Cwrt, gŵr o ardal Login, ger Hen Dŷ Gwyn ar Daf, oedd yn dysgu'r caneuon i mi. Nid oedd John yn berchen ar biano ond fe fyddai ganddo

drawfforch ('tuning fork') yn ei boced bob amser. Doedd dim dewis felly ond canu'n ddigyfeiliant, ac fe brofodd hynny'n ymarfer gwych i mi ar gyfer canu alawon gwerin a chadw traw. Yn ddiweddarach, cefais wersi gan Gerallt Evans, tad Catrin Gerallt, oedd yn byw yn Hwlffordd ar y pryd ac yn Gyfarwyddwr Cerdd Sir Benfro. Roedd yn athro *strict*! Ta waeth am hynny, roedd yn hyfforddwr penigamp, ac fe'm rhoddodd ar ben ffordd go iawn ynglŷn â chyflwyno alawon gwerin. Ei gyngor penodol oedd osgoi bod yn gaeth i'r copi. Lleisio a chywirdeb, meddai, fydd yn dod dan ystyriaeth gan feirniad cerdd arferol ond derbyniais y sylw gan ambell feirniad nad oeddwn bob amser yn rhoi gwerth cywir i'r nodau fel y ceid hwy ar y copi! Felly, penderfynais gyflwyno copi o'r geiriau yn unig i'r beirniad, ac fe gefais well lwc o'r herwydd!

Gellir dweud fod eisteddfota wedi llifo yng ngwythiennau Myron. Mae wedi ennill ar yr unawd alaw werin i ferched dan 21 oed yn Eisteddfod yr Urdd, y Genedlaethol ac yn Eisteddfod Gerddorol Ryngwladol Llangollen. Sylweddolodd iddi gyrraedd oed 'goriad y drws ac felly'n gallu cystadlu am brif wobr yr Eisteddfod Genedlaethol, sef Gwobr Goffa Lady Herbert Lewis.

Y tro cyntaf i mi ennill y wobr honno oedd yn y Fflint yn 1969 a minnau'n byw yn Llanegryn. Cefais le i aros yn Llanelwy. Felly o Lanegryn, Meirionnydd, trowyd trwyn y car i gyfeiriad y gogledd ddwyrain. Cynhaliwyd y rhagbrawf y pnawn canlynol, mewn capel yn nhref y Fflint. Y ddau feirniad oedd Olwen Lewis ac Emrys Bennett Owen. Eisteddai'r ddau i fyny yn y galeri. Fy newis o ddwy alaw werin oedd, 'Yn y Dechreuad', carol a gofnodwyd yn ardal Llanfair Talhaearn, a'r ail oedd 'Cwyn Mam yng Nghyfraith'. Wedi deall imi fod yn un o'r tri i ymddangos ar y llwyfan drannoeth, bu'n rhaid imi drefnu i aros un noson arall. Byddai Dr Mostyn Lewis – gŵr bonheddig mawr ei faint – yn mynychu'r rhagbrofion yn aml. Rhoddai'r argraff ei fod yn cadw llygaid ar y gystadleuaeth ar ran ei fam. Sut bynnag, ar ddiwedd y rhagbrawf, daeth ataf a dywedodd: 'My mother didn't intend that song to be sung like that'. 'O! diar, be 'na' i?', meddyliais! Yn bendant roedd yn dda nad oedd o ar y panel beirniaid! Esboniodd Dr Mostyn yn ddigon rhesymol y dylai'r byrdwn 'ti-dy-la-li rw-di-li dy lam' ddynwared mam yng nghyfraith genfigennus yn dwrdio. Gwerthfawrogais ei sylwadau – at eto – ac mi benderfynais beidio â newid dim cyn y prawf terfynol. Yna, dyfarnwyd imi gyrraedd y brig! Roeddwn mor hapus imi lwyddo i gyrraedd pinacl adran alawon gwerin yr Eisteddfod Genedlaethol. Cafodd y Cwpan Coffa le anrhydeddus iawn yn fy nghartref yn Llanegryn.

Dywed Myron o'i phrofiad fel cystadleuydd ac fel beirniad, iddi gredu bod lle hanfodol i ganu gwerin ymhlith cystadlaethau ein heisteddfodau a'n gwyliau.

Credaf mewn rhyddid rhesymol i'r unigolyn fynegi a chyfleu'r stori'r gân yn effeithiol. Fodd bynnag, credaf hefyd bod rhaid cadw at rai meini prawf megis: canu'n naturiol a chadw ffurf a siâp yr alaw.

Dros y canrifoedd, ysbrydolodd rhai o'n caneuon gwerin gyfansoddwyr nodedig fel William Mathias a Grace Williams i lunio trefniannau cyfoes a chyffrous. Credaf y dylid osgoi trefniannau os oes unrhyw berygl o gymylu'r alaw wreiddiol. Credaf hefyd, tra bo partïon a chorau'n anelu at naturioldeb gwerinol, y gellid cwestiynu a yw canu dan gyfarwyddyd arweinydd yn gyson â'r traddodiad.

Yn 1972, aeth Myron ymlaen i gyrraedd y brig unwaith eto, yn Eisteddfod Sir Benfro pan oedd erbyn hyn yn byw yn Ninbych. Dewisodd ganu'r union ddwy gân a ddaeth â llwyddiant iddi yn 1969. Mae hi'n credu'n gryf mewn cynnig lle teilwng i ganu gwerin traddodiadol ar ein llwyfannau cenedlaethol.

16. Harry Richards (1935-2017)

Rhydaman a'r Cylch: 1970

Caneuon: 'Yr Eneth Glaf' a 'Yr Hen Wyddeles'
Beirniaid: Alwyn Samuel ac Esme Lewis
(gweler 8, tudalen 54)

17. Einir Wyn Owen (Williams erbyn 1979)

Bangor a'r Cylch: 1971

Caneuon: 'Yr Eneth Glaf' a 'Gwn Dafydd Ifan'
Beirniaid: Eunice Davies a Frances Môn Jones

Ganed Einir Wyn yn 1952 ac fe'i magwyd yn Rhiwlas, ger Bangor, lle mae'n parhau i fyw hyd heddiw. Mynychodd Ysgol Gynradd Rhiwlas, Ysgol Ramadeg y Genethod, Bangor, ac Athrofa'r Coleg Normal, Bangor. Wedi gadael y coleg, bu'n athrawes mewn nifer o ysgolion cynradd yng Ngwynedd. Priododd Einir, Hefin Williams yn 1977 ac fe'i dyrchafwyd yn bennaeth yn Ysgol Tal y Bont, Conwy, ac yn 2010 yn Ymgynghorydd Addysg yn Sir Conwy. Datblygodd ei diddordeb mewn eisteddfota o frwdfrydedd ei rhieni, Griff a Meirwen Owen. Roedd y ddau'n gerddorol iawn a'i thad yn aelod o Wythawd Tryfan o dan arweiniad Cledwyn Jones, Bangor.

Dywedodd Einir Wyn:

> Yn ôl pob sôn, dechreuais gystadlu yn eisteddfod pentref Rhiwlas pan oeddwn yn dair oed. Yna, ar benwythnosau, bwriais fy mhrentisiaeth mewn eisteddfodau lleol ledled Cymru. Fe ddechreuais gael gwersi piano ar ddiwrnod fy mhen blwydd yn 6 oed gan Dilys Phillips ym Mangor, a gwersi telyn pan oeddwn yn 12 oed gan Gwenllïan Dwyryd. Fy nhad a'm hysbrydolodd i ganu gwerin. Roeddem fel teulu yn mwynhau'r cystadlaethau canu gwerin agored yn yr Eisteddfodau lleol. Dechreuais gystadlu yn Eisteddfodau'r Urdd a'r ŵyl Cerdd Dant. Enillais am y tro cyntaf ar yr unawd cerdd dant yn Eisteddfod

Genedlaethol yr Urdd yn Rhuthun pan oeddwn yn 9 oed. Bûm hefyd yn cystadlu'n gyson yn genedlaethol gan ennill yn yr adrannau cerdd dant, telyn, unawdau clasurol a chanu gwerin. Cefais gryn lwyddiant hefyd yn Eisteddfod Gerddorol Ryngwladol Llangollen, gan ennill yr unawd alaw werin dan 16 oed ddwywaith, yr unawd glasurol dan 25 oed ddwywaith a'r unawd alaw werin agored bedair gwaith.

O'r cychwyn cyntaf, fy nhad oedd yn fy hyfforddi i ganu a mam yn cyfeilio ar y piano. Ni chefais unrhyw hyfforddiant ffurfiol i'r llais nes mynd i'r Coleg. Bryd hynny, cefais gyfres o wersi gan Nia Jones (Bethesda ar y pryd), ac yna, wedi gadael y Coleg, fe'm hyfforddwyd gan Brian Hughes, Wrecsam. Byddem fel teulu wrth ein boddau'n gwrando ar gantorion megis Harry Richards, Sarn; George Baum, Trefor; Llwyn ac Emrys Jones, Llangwm. Roedd fy nhad hefyd trwy ei gysylltiad ag Wythawd Tryfan wedi cael y cyfle i gydrecordio â Meredydd Evans a Phyllis Kinney. Cawsant ill dau gryn ddylanwad arno. Gan fy mod wedi ennill yr unawd canu gwerin yn yr Eisteddfod Gerddorol Ryngwladol Llangollen, penderfynodd fy nhad ei bod yn amser i mi roi cynnig ar gystadleuaeth Gwobr Goffa Lady Herbert Lewis. Yn Eisteddfod Bangor a'r Cylch 1971 yr enillais y gystadleuaeth hon am y tro cyntaf, er mai dim ond deunaw oeddwn i. Pryd hynny, roedd yn gystadleuaeth agored ond erbyn heddiw, fe'i haddaswyd i ddenu cystadleuwyr dros 21 oed. Credaf mai fi ddewisodd y ddwy gân, pur anaml y byddai fy nhad a minnau'n yn anghytuno â'r dewis. Cofiaf fod y ddwy alaw werin yn cyferbynnu'n dda. Wedi ennill y gystadleuaeth, fe'm derbyniwyd yn aelod anrhydeddus o Orsedd y Beirdd mewn gwisg werdd. Erbyn heddiw, mae'r enillwyr yn derbyn gwisg wen a medal am ennill yn y prif gystadlaethau mewn adrannau penodol.

Daeth llwyddiant i Einir am yr eildro yn 1973 yn Eisteddfod Dyffryn Clwyd. Ei dewis o ganeuon y tro hwn oedd 'Beth yw'r Haf i Mi?' ac 'Mae Robin yn Swil'. Un o'r uchafbwyntiau yn dilyn y llwyddiant yma oedd iddi dderbyn gwahoddiad i fynd i ganu i Gymdeithas Gymraeg Nigeria y mis Mawrth canlynol gydag Iona Jones, Llundain, Dai Jones, Llanilar, a Richard Rees, Pennal.

Y trydydd tro i mi ennill y gystadleuaeth oedd yn 1979 yn Eisteddfod Caernarfon a'r Cylch. Fy newis y tro hwnnw oedd 'Y G'lomen' a 'Torth o Fara'. Ar fy ffordd i lawr o'r llwyfan, wedi imi dderbyn y tlws, daeth gwraig ddieithr ataf i ochr y llwyfan. Nest Pierrie oedd hi o Baris, o Dregarth yn wreiddiol, yn fy ngwahodd i ganu gerbron Cymdeithas Gymraeg Paris y mis Mawrth canlynol. Ieuan ap Siôn ddaeth gyda mi ar y daith y tro hwnnw, ac fe gawsom wahoddiad yn ôl yr eildro yn 1981. Credaf mai fi yw'r unig berson yn ddiweddar i ennill y gystadleuaeth deirgwaith, gan i'r rheolau fod wedi newid erbyn hyn, a chaiff neb gystadlu bellach ar ôl bod yn fuddugol yn y gystadleuaeth ddwywaith.

Fel unawdydd, cafodd Einir gyfle i deithio gyda chorau meibion y Penrhyn, Caernarfon a Maelgwn i bob rhan o Gymru, Iwerddon, Lloegr a'r Iseldiroedd. Cynrychiolodd Gymru ar fwy nag un achlysur yn y Gyngres Geltaidd, gan ymddangos yn Stirling ac yn yr Eden Court Theatre yn Inverness. Ar ôl gadael y Coleg a dechrau dysgu, aeth ati i hyfforddi disgyblion yr ysgolion, a rhai unigol gartref, mewn canu clasurol, cerdd dant a chanu gwerin. Byddai hefyd yn eu paratoi ar gyfer eisteddfodau lleol a gwyliau cenedlaethol. Cafodd canran uchel ohonynt hwythau lwyddiant yn genedlaethol a rhyngwladol. Côr Plant Ysgol Glan Cegin, Bangor, o dan ei harweiniad, oedd y côr cyntaf i ganu yng Ngŵyl Garolau Llangollen dros 20 mlynedd yn ôl. Am bymtheng mlynedd ar hugain, bu Einir yn arwain Côr Merched Lleisiau'r Gweunydd. Yn ogystal â chynnal cyngherddau a nosweithiau llawen yn lleol, buont yn diddanu ymwelwyr mewn gwestai lleol yn ystod yr haf, a theithio i'r Iwerddon ac i'r Almaen.

> Mae canu gwerin wedi golygu – ac yn parhau i olygu – llawer iawn i mi. Mae gan bawb ei arddull a'i ddehongliad ei hun. Dyna sy'n braf am y gelfyddyd. Credaf y dylai canu gwerin fod yn hollol naturiol, gyda phwyslais ar ddweud stori, a thonyddiaeth sicr, a'r ddawn i amrywio heb or-wneud dim. Yn wir, dyna ydi fy meini prawf pan fyddaf yn beirniadu.

Mae Einir yn credu bod llwyfannu canu gwerin ar lwyfan yr Eisteddfod Genedlaethol yn sicrhau statws i'r grefft. Yn ogystal â hynny, mae hi o'r farn fod lle i ganu gwerin mewn cyd-destun anffurfiol yn y Tŷ Gwerin ar faes yr Eisteddfod fel bod pawb yn cael blas ar ein caneuon gwerin traddodiadol.

18. Myron Lloyd

Sir Benfro: 1972

Caneuon: 'Yn y Dechreuad' a 'Cwyn Mam yng Nghyfraith'
Beirniaid: Roy Saer a Cassie Simon
(gweler 15, tudalen 70)

19. Einir Wyn Owen (Williams erbyn 1979)

Dyffryn Clwyd: 1973

Caneuon: 'Beth yw'r Haf i Mi?' a 'Mae Robin yn Swil'
Beirniaid: T Gwynn Jones ac Anita Williams
(gweler 17, tudalen 73)

20. Beth Amon

Bro Myrddin: 1974

Caneuon: 'Merch ei Mam' a 'Pa Bryd y Deui Eto?'
Beirniaid: Buddug Lloyd Roberts ac Emrys Bennett Owen

Ganed Beth yn Nhrimsaran yn 1946 i deulu cerddorol iawn. Fe'i bedyddiwyd yn Beth Rees. Roedd ei thaid, William John Williams, ei mam Peggy Rees (née Williams) a'i modryb Anita Williams yn enillwyr cyson mewn eisteddfodau cenedlaethol a rhyngwladol. Enillodd ei mam Wobr Goffa David Ellis (Y Rhuban Glas) ddwywaith, yn gyntaf yn 1960 ac yna yn 1964. Enillodd ei modryb, y ddiweddar Anita Williams (un arall o enillwyr Gwobr Goffa Lady Herbert Lewis: gweler Rhifau 6 a 7 uchod) Wobr Goffa Osborne Roberts dair gwaith. Bu Beth yn ddisgybl yn Ysgol Gynradd Trimsaran ac Ysgol Ramadeg Cwm Gwendraeth. Yn 1964, dechreuodd weithio yn Llundain gan ymuno â chôr ieuenctid Cymry Llundain. Yn 1974, yn dilyn tor-priodas, symudodd Beth yn ôl i Drimsaran. Erbyn hyn, mae hi'n briod â Chris Wright ac ers rhai blynyddoedd bellach, mae'r ddau yn byw yn Wetherby, Swydd Efrog.

Dywedodd Beth:

> Byddwn yn dwlu gwrando ar Anti Anita yn canu caneuon gwerin. Cafodd ei hyfforddi'n drwyadl yn nhechnegau canu wrth astudio cerddoriaeth yn y Coleg Cerdd Brenhinol yn Llundain. O ganlyniad, roedd ei thechnegau cerddorol yn ardderchog. Gallai fynd i ysbryd pob cân a'i chyflwyno'n wefreiddiol i'r gynulleidfa. Byddai'r cyfan yn ymddangos mor ddiymdrech a hawdd iddi hi.

Yn ôl Beth, bu hi drwy gyfnod anodd iawn pan oedd ei phlant yn fach oherwydd torrodd ei phriodas a'i llorio'n llwyr. Penderfynodd fod ganddi ddewis, naill ai suddo neu ymdrechu orau y medrai i hedfan. Wedi cyfnod anodd iawn, gwnaeth benderfyniad mai dim ond hi ei hun a allai'i hachub ei hun. Felly penderfynodd gystadlu yng nghystadleuaeth Gwobr Goffa Lady Herbert Lewis yn Eisteddfod Genedlaethol Caerfyrddin, nad oedd ond rhyw ddeuddeng milltir o'i chartref yn Nhrimsaran.

'Ches i ddim gwersi wrth baratoi, ond euthum ati i wrando drosodd a throsodd ar record o Anti Anita yn canu, gan geisio dadansoddi a mewnoli ei thechnegau a'i harddull goeth. Pan ddywedais wrth fy mam fy mod wedi cofrestru i gystadlu am y wobr anrhydeddus hon, roedd hi yn erbyn y syniad yn llwyr oherwydd fy iselder. Fodd bynnag, mi helpodd mami fi a byddai Anita yn rhoi cyngor imi pan fyddai'n dod i'n gweld a hithau'n byw yng Nghaint ar y pryd.

Roedd yn anodd plesio'r ddwy, mami a'i chanu opera, oratorios a cherddoriaeth glasurol yn awgrymu un ffordd ac Anita'n awgrymu ffordd arall. Roedd Anita'n mynnu fy mod yn canu'n naturiol, yn adrodd y stori'n glir ac yn bennaf yn anwylo'r geiriau. Cymerais y rhannau gorau o gynghorion y ddwy!

Daeth wythnos yr Eisteddfod gyda thywydd bendigedig a'r haul yn disgleirio a'r awyr yn las. Yn anffodus, nid oedd am barhau. Daeth y glaw ar ddiwedd yr wythnos gan droi'r maes yn bwll enfawr o fwd erbyn dydd Sadwrn, diwrnod y gystadleuaeth.

Daeth mami gyda mi i'r rhagbrawf. Roedd hi'n gwegian o nerfusrwydd ar fy rhan ac yn cymryd pob cyfle i geisio fy narbwyllo rhag cystadlu! Ond roeddwn yn benderfynol fod hwn yn gam cwbl angenrheidiol yr oedd rhaid i mi ei gymryd i brofi fy nghadernid i mi fy hun.

Er mawr syndod i Beth a'i mam, fe gafodd lwyfan er mai dyma oedd y tro cyntaf iddi gystadlu. Doedd neb ychwaith yn gwybod pwy oedd hi, oherwydd doedd 'Amon' ddim yn enw cyfarwydd yn y byd eisteddfodol.

Oherwydd fy nghleisiau emosiynol, ceisiodd mami ei gorau i'm darbwyllo rhag mynd i'r llwyfan os nad oeddwn yn gwbl siŵr fy mod am gystadlu. Daeth yr amser imi fynd ar y llwyfan a fi oedd yn canu olaf. Cenais y gân gyntaf yn iawn, ond pan oeddwn ar fin dechrau'r ail gân, pistyllodd y glaw trwm ar do'r Pafiliwn. Gwnaeth sŵn enbyd. Cododd y beirniad, Emrys Bennett Owen, ei law a'm cyfarwyddo i eistedd yng nghefn y llwyfan nes bod y glaw a'r sŵn wedi tewi rywfaint. Serch hynny, a chyda syndod mawr, fe enillais y wobr gyntaf a'r cwpan!

Yn ôl pob tebyg dywedodd yr arweinydd llwyfan, Alun Williams BBC, wedi i Beth ganu, 'Mae'r ferch 'ma'n f'atgoffa i o Anita Williams Trimsaran'. Er mor fawr oedd ei llawenydd o ennill y gystadleuaeth hon, ni chafodd Beth ond chwe mis i syllu ar y tlws. Fe'i gadawodd yng ngofal ei mam ac i'w ddychwelyd i'r Eisteddfod ar ddiwedd y flwyddyn, oherwydd roedd hi, ei phlant a'i gŵr newydd, Chris, yn symud i Wetherby.

Hyd heddiw, byddaf yn cymryd pob cyfle i wrando ar ganu gwerin ac yn gwneud hynny gyda mwynhad. Gwerthfawrogaf y cyfan a ddysgais gan Anti Anita, yn gerddorol ac yn bersonol. Dysgais lawer o wrando ar ei hathroniaeth bywyd yn ogystal â gwrando ar ei recordiau. Credai hi mewn perfformiad cerddorol, ystyrlon oedd yn dod yn syth o'r galon. Roedd hi'n actio'r gân ac eto'n gwneud y cyfan mor gelfydd a naturiol. Dysgais ganddi wroldeb personol hefyd wrth iddi frwydro yn erbyn creulondeb ei salwch a'r anawsterau a ddaeth yn sgil hynny. Trodd ei hwyneb tua'r haul bob amser. Dilynais ei hesiampl mewn mwy nag un ffordd: drwy ymgeisio am Wobr Goffa Lady Herbert Lewis a thrwy droi fy wyneb innau tua'r haul i symud ymlaen yn wrol a llon.

21. Llewela Davies (Edwards yn 1975)

Cricieth: 1975

Caneuon: 'Lliw Gwyn Rhosyn yr Haf' ac 'O, Felly'n Wir'
Beirniaid: Gwyneth Palmer ac Eunice Davies
(gweler 14, tudalen 68)

22. Joan Gravell

Aberteifi a'r Cylch: 1976

Caneuon: 'Mynwent Eglwys' a 'Hen Wraig Fach'
Beirniaid: Elfed Lewys a Meredydd Evans

Ganed Joan yn 1952 yn Idole, Caerfyrddin, lle mae'n parhau i fyw. Fe'i hysbrydolwyd i gymryd diddordeb mewn canu ac eisteddfota gan bennaeth Ysgol Gynradd Bancyfelin. Mynychai Joan yr eisteddfodau lleol yn rheolaidd i gystadlu. Byddai bob amser yng nghwmni ei mam, Olwen Gealy, oedd yn credu, fel eraill, fod gan Joan lais swynol a deniadol. Aeth ymlaen i fod yn ddisgybl yn Ysgol Ramadeg y Frenhines Elizabeth, Caerfyrddin, lle'r oedd Allan Fewster yn bennaeth yr adran gerdd. Cyfeiria Sharon Morgan yn ei hunangofiant, 'Hanes Rhyw Gymraes' at yr ysgol hon fel:

'... Sefydliad disgybledig Seisnig, ... yr iwnifform nefi blw, yn cynnwys beret, ro'dd yn rhaid ei gwisgo y tu fas i'r ysgol ar bob achlysur dan boen eich crogi'. … Aeth Joan ymlaen i ddilyn gyrfa lwyddiannus mewn ffotograffiaeth. Mae ei henw'n adnabyddus ledled y wlad ac fe gyfeirir ati mewn cylchgronau arbenigol fel ffotograffydd eithriadol (t. 62)

Dywedodd Joan:

Dechreuais gymryd diddordeb mewn canu pan oeddwn yn yr ysgol gynradd. O oedran ifanc iawn, roeddwn yn mwynhau canu ac yn teimlo'n gartrefol wrth ganu gwerin. Byddai fy mam yn helpu llawer arna' i. Roeddwn yn hoff iawn o ryddid canu gwerin. Gallwn roi fy stamp fy hun ar y dehongliad, gan nad oes angen imi fel cantores gwerin fod mor gaeth i gopi o'r gerddoriaeth.

Yn rhyfeddol iawn, dyma'r tro cyntaf i mi gystadlu ar y gystadleuaeth hon pan enillais Wobr Goffa Lady Herbert Lewis yn 1976. Roedd angen chwilota am ddwy gân oedd yn apelio ataf yn ogystal â gwrthgyferbynnu'n dda. Helpodd mam fi i baratoi ar gyfer y gystadleuaeth drwy fynnu fy mod yn canu'n 'lân, yn swynol a naturiol'. Fe helpodd fi hefyd i ddehongli'r gân a lliwio'r geiriau er mwyn 'dweud y stori wrth y gynulleidfa'. Daeth Mam gyda mi i gystadlu, fel arfer, a chofiaf i'r ddwy ohonom fod yn llawn cyffro a nerfusrwydd!

Ar ôl deall imi gael llwyfan, fe es i dros y geiriau ac ymarfer y gân eto. Erbyn imi ymddangos ar y llwyfan – er yn nerfus iawn – roeddwn yn barod. Dw i'n cofio i mi fwynhau perfformio. Dewisais ddwy gân yr oeddwn i yn eu hoffi ac yn gyfarwydd â nhw. Cefais wefr arbennig o'u canu o flaen cynulleidfa pafiliwn yr Eisteddfod Genedlaethol. Pan gyhoeddwyd yr enillydd, ni fedrwn gredu mai fi oedd honno. Roedd yn deimlad anhygoel. Cerddais ymlaen mewn breuddwyd i dderbyn y wobr.

Arweiniodd llwyddiant Joan yn ennill y wobr hon iddi gael ei derbyn yn aelod anrhydeddus o Orsedd y Beirdd. Roedd yr anrhydedd hwn yn golygu llawer iawn iddi hi a'i theulu.

Yn fy marn i, mae'n dda bod y Tŷ Gwerin bellach wedi ei sefydlu ar faes yr Eisteddfod. Dyma fangre unigryw mewn pabell gyfleus i ni fwynhau gwrando ar ganu gwerin traddodiadol Gymreig a bandiau gwerin cyfoes. Rwy'n llawenhau bod canu gwerin hefyd yn dal i gael sylw ar lwyfan yr Eisteddfod Genedlaethol gan sicrhau statws haeddiannol i brif gystadleuaeth adran canu gwerin yr Ŵyl.

23. Leah Owen

Wrecsam a'r Cylch: 1977

Caneuon: 'Gwenni Aeth i Ffair Pwllheli' ac 'Roedd yn y Wlad Honno'Beirniaid: Shân Emlyn ac Alan Davies

Ganed Leah Owen yn 1953 ac fe'i magwyd yn Rhos-meirch, Sir Fôn. Cafodd addysg hollol Gymraeg a Chymreig yn ysgol fach wledig Rhos-meirch cyn symud yn saith oed i Ysgol British, Llangefni. Yno roedd llawer mwy o Saesneg yn y dosbarth ac ar y buarth. Aeth ymlaen i fwynhau bywyd cerddorol Ysgol Gyfun Llangefni cyn mynychu Prifysgol Bangor i astudio cerddoriaeth. Yno, dan adain yr Athro William Mathias, arbenigodd mewn cyfansoddi. Wedi graddio gyda B.Mus. yn 1975, dilynodd gwrs ymarfer dysgu yn Athrofa'r Coleg

Normal, Bangor. Yn 2013, yn ei hunangofiant, *Leah* (Owen, Cyfres y Cewri, Gwasg Gwynedd) mae hi'n sôn am y gwersi llais amrywiol a gafodd. Mae'n nodi mai gan athrawes llais Coleg Cerdd Frenhinol y Gogledd ym Manceinion y dysgodd hi am gynhyrchu'r llais ac anadlu'n gywir (t. 46).

Fe'i penodwyd i'w swydd gyntaf yn athrawes dosbarth a cherdd yn Ysgol Hirael, Bangor. Yn y saith degau, fe'i gwelwyd ar lwyfannau di-rif eisteddfodau a chyngherddau lleol a chenedlaethol ac ar y teledu. Wedi priodi Eifion Lloyd Jones, darlledydd, darlithydd a Llywydd presennol Llys yr Eisteddfod, mudodd y ddau i Ddinbych. Yno, dros gyfnod o chwarter canrif, penodwyd Leah i swyddi amrywiol:

athrawes gerdd Ysgol Uwchradd Dinbych, Ysgol Gynradd Gymraeg Twm o'r Nant, Athrawes Fro ac athrawes ganu deithiol yn ysgolion Sir Ddinbych. Erbyn hyn, adwaenir Leah fel hyfforddwraig ddisglair iawn o unawdwyr a phartïon a chorau niferus. Mae'n ymfalchïo fel mam i bedwar o blant a nain i chwech o wyrion.

Dywedodd Leah:

> Ddechrau'r chwe degau, pan oeddwn tua naw oed, mi ddaeth gweinidog newydd a'i wraig i Gapel Smyrna, Llangefni – Y Parchedig Dewi Jones a'i wraig Myra. Cychwynnodd y ddau ohonynt Adran yr Urdd a dyma ddechrau cyfnod a gafodd ddylanwad aruthrol arna i. Dewi Jones oedd y cerddor ond Myra oedd yn dehongli ac yn mynd dan groen y geiriau. Roeddwn eisoes wedi perfformio yn y capel a chael cyfle i ganu deuawdau gyda Nia, fy ffrind, ond roedd cael bod yn rhan o Adran yr Urdd a chanu mewn partïon a chorau yn brofiad hynod werthfawr. Yn anffodus, bu Dewi Jones farw'n ddisymwth. Felly, Myra oedd y dylanwad mwyaf o ran fy nghyflwyno i gerdd dant ac alawon gwerin, ac felly mae fy niolch iddi'n ddi-ben-draw. Adroddreg oedd Myra, ac er na fues i erioed fawr o adroddreg, roedd gwrando arni hi'n dehongli cerddi yn brofiad nad anghofiaf fyth. Fe'm dysgodd i ganu o'r galon, i eirio'n eglur bob amser ac i ganu'n naturiol a di-lol.

Enillodd Leah ei gwobr genedlaethol gyntaf ar yr unawd cerdd dant dan 15 oed yn Eisteddfod Genedlaethol y Barri yn 1968. Yn 1970, enillodd bedair gwobr gyntaf yn Eisteddfod Rhydaman ond yn Eisteddfod Bangor, 1971, daeth y llwyddiant mwyaf iddi pan enillodd bum gwobr gyntaf am: unawd cerdd dant dan 21, unawd alaw werin, deuawd cerdd dant, parti cerdd dant, a chyda cherddorfa'r ysgol. Yn ei hunangofiant, pwysleisia werth y beirniadaethau niferus a gafodd:

> Roedd cael beirniadaeth gan wahanol feirniaid, yn sicr yn beth gwerth chweil, ac yn ffordd wych i mi geisio fy ngwella fy hun ym myd y canu. Byddwn wrth fy modd os byddai Valerie Ellis, T. J. Williams, neu Selyf (D.G. Jones) yn beirniadu, ac roedd cael sylwadau gan bobl fel Meirion Williams, Dr Llifon Hughes-Jones, Arthur Vaughan Williams, Catherine Watkin, Gwyneth Palmer a T. Gwynn Jones yn hynod werthfawr (t. 49). Bûm yn ddigon ffodus i ennill Gwobr Goffa Lady Herbert Lewis yn dair ar hugain oed yn Eisteddfod Genedlaethol Wrecsam a'r Cylch yn 1977.

Roedd hynny'n benllanw fy holl eisteddfota dros y blynyddoedd. Yn ôl gofynion y gystadleuaeth, roedd angen i ni ganu dwy alaw werin wrthgyferbyniol. Os cofiaf i'n iawn, mi genais 'Gwenni Aeth i Ffair Pwllheli' ac 'Roedd yn y Wlad Honno'. Mae'n dasg anodd dewis dwy alaw sy'n cyferbynnu'n dda, yn enwedig ar gyfer merched. Ceir amrywiaeth ehangach ar gyfer bechgyn. Yn wir, mae'n rhyfeddod i mi ddewis 'Gwenni Aeth i Ffair Pwllheli', achos dydi hi ddim yn un o'm hoff alawon gwerin. Roedd gofyn actio a lliwio cryn dipyn wrth ei chanu, a dydw i ddim yn hoffi gwneud hynny o gwbl! Dewisais 'Roedd yn y Wlad Honno' am i mi gredu y gallwn greu naws arbennig wrth ei chanu, a thrwy ryw lwc, dyna'n union a ddigwyddodd. Mi gofiaf yr awyrgylch yn yr hen bafiliwn mawr hyd heddiw. Mae'n hen garol hir ac ailadroddus ond o roi ystyr i bob gair, roedd y cyfan yn dod yn fyw. Roedd yr ymdriniaeth a roddais iddi'n hollol wahanol i'r modd y byddem yn ei chanu yn ein capeli. Ceisiais ei chanu mewn arddull adroddgan. Cofiaf i mi ei chanu o'r galon a theimlo pob un gair. Dw i'n siŵr mai fy mherfformiad o hon a enillodd y gystadleuaeth i mi. Roy Saer a Wyn Thomas oedd yn beirniadu a does gen i ddim cof o'r rhagbrawf na phwy arall oedd yn cystadlu. Roedd ennill Gwobr Goffa Lady Herbert yn uchafbwynt mawr. Credaf i mi ddod yn ail y flwyddyn flaenorol ac felly cyrraedd y brig oedd f'uchelgais. O ganlyniad i ennill y wobr, cefais fy anrhydeddu'n aelod o Orsedd y Beirdd yn Eisteddfod Genedlaethol Caerdydd ym 1978. Gofynnwyd i mi ganu o'r Maen Llog a dewisais ganu 'Mil Harddach Wyt na'r Rhosyn Gwyn', gan fy mod yn disgwyl fy mhlentyn cyntaf; Angharad. Roedd hwnnw'n brofiad arall i'w drysori.

Cofia Leah Eisteddfod Wrecsam a'r Cylch, 1977, fel un lwyddiannus iddi fel perfformiwr ac fel hyfforddwraig, hefyd. Bu'n hyfforddi Parti'r Ynys a ddaeth i'r brig fel parti gwerin dan 18 ac fel parti cerdd dant dan 15 oed. Roedd hefyd yn aelod o driawd cerdd dant efo Glenys a Margaret o Lanbedrgoch ac fe gawsant hwythau gyntaf. Anrhydeddwyd Leah yn Eisteddfod Glyn Ebwy, 2010, gyda Medal Syr T. H. Parry-Williams am ei gwaith gwirfoddol gydag ieuenctid pryd dywedodd:

Gobeithiaf i mi lwyddo i drosglwyddo mymryn o'r hyn a gefais gan Mrs. Myra Jones i genhedlaeth arall o gantorion. Mae'n braf eu gweld yn llwyddo ac yn symud i golegau a dechrau hyfforddi eu hunain yn union fel y gwnes i. Mae fy agwedd i at ganu gwerin yn siŵr o fod wedi newid dros y blynyddoedd.

Pan oeddwn i'n Eisteddfota yn y chwe degau, rhyw ganu sidêt, fyddai canu gwerin. Byddai'r beirniaid gan amlaf yn chwilio am leisiau pur a oedd yn dilyn pob nodyn ac amseriad yn gywir, yn union fel y byddai wedi'i nodi ar y copi. Cofiaf gymeriadau fel Llwyn, George Baum a Harry Richards yn canu gwerin yn eisteddfodau Pen Llŷn a Sir Fôn ac yn dod â doniolwch a diddanwch i'r gynulleidfa bob amser. Dyna, siŵr o fod, oedd canu gwerin go iawn, er nad oedd pob nodyn a gair yn eu lle bob tro. Erbyn hyn, diolch byth, mae mwy o bwyslais ar yr arddull werinol, ffwrdd-â-hi honno, ac mae beirniaid yn chwilio am fwy o naturioldeb a chanu onest o'r galon.

24. J. Eirian Jones

Caerdydd: 1978

Caneuon: 'Merch Ifanc o'n Ben Bore' a 'Gwn Dafydd Ifan'
Beirniaid: Buddug Lloyd Roberts a Meinir McDonald

Ganed Eirian yn 1956 ac fe'i magwyd ym mhentref Cwmann, ger Llanbedr Pont Steffan. Mynychodd Ysgol Gynradd Coedmor ac Ysgol Uwchradd Llanbedr-Pont-Steffan. Yna, ym Mhrifysgol Aberystwyth, enillodd radd B.Mus. ac yna M.A. am waith ymchwil ym maes alawon gwerin. Mae'n wyneb cyfarwydd ar deledu, llwyfannau eisteddfod a chyngherddau fel unawdydd, cyfeilydd, arweinydd a beirniad ac yn rhan o'r ddeuawd adnabyddus, Eirian a Meinir. Bu'n cyfansoddi a threfnu cerddoriaeth ers ei dyddiau ysgol. Mae wedi ymddeol bellach o'i swydd fel Pennaeth yr Adran Gerdd yn Ysgol Gyfun Penweddig, Aberystwyth. Yn ogystal â pherfformio, cyfeilio, arwain a beirniadu, cyhoeddodd hefyd dair cyfrol o ganeuon ar gyfer plant a phobl ifanc.

Dywedodd Eirian:

> Rhaid cyfaddef i'm cof bylu rhywfaint am y paratoi a'r gystadleuaeth arbennig hon yn Eisteddfod Genedlaethol Caerdydd gan fod deugain

o flynyddoedd wedi gwibio heibio! Ond cofiaf am liw'r ffrog a wisgais gan fod lluniau'n parhau yn y tŷ a minnau'n dal Cwpan Coffa Lady Herbert Lewis yn fy llaw. Un siom a brofais y diwrnod hwnnw oedd bod gwaelod y cwpan (y darn plastig du) wedi mynd ar goll. Methwyd dod o hyd iddo mewn pryd i'w wobr gael ei chyflwyno'n 'gyfan' i mi ar lwyfan y Brifwyl. Hwn oedd pinacl y cystadlu ym maes yr alawon gwerin i mi, gan fod uchelgais

gennyf am flynyddoedd i ennill y gystadleuaeth arbennig hon. Yn wir, bu Eisteddfod Caerdydd yn Eisteddfod gofiadwy i Meinir a minnau oherwydd cipiodd fy chwaer yr unawd Contralto dan 25 oed hefyd. Gwnaethom ill dwy yn dda'r flwyddyn arbennig honno.

Bu dylanwad ein rhieni, yn enwedig mam, yn drwm arnom. O ochr mam y daeth y llais canu a bu canu a chystadlu yn rhan annatod o fywyd Meinir a minnau er pan oeddem yn blant ifanc. Byddem yn perfformio'n rheolaidd yn yr ysgol Sul, y Capel a'r Gymanfa Ganu a chael y cyfle i gystadlu yn y Cyrddau Cystadleuol. Symudon ni ymlaen wedyn i gystadlu mewn eisteddfodau lleol a oedd yn niferus iawn bryd hynny. Byddai'r eisteddfodau lleol yn parhau tan berfeddion nos yr adeg honno. Cofiaf geisio dwyn perswâd ar fy nhad (gan mai ef oedd yn gyrru'r car!) i adael i mi aros ymlaen i gystadlu ar yr alaw werin yn Eisteddfod Llanilar. Cefais aros a hithau'n 4.00 y bore pan lwyfannwyd y gystadleuaeth. Buom wrthi'n brysur a llwyddiannus yn eistedd-fodau'r Urdd, yr ŵyl Cerdd Dant a'r Eisteddfod Genedlaethol.

Cystadlodd Eirian am y tro cyntaf erioed yn Eisteddfod Genedlaethol Rhydaman yn 1970. Cafodd gryn lwyddiant ar yr unawd, yr unawd cerdd dant o dan 15 oed a'r alaw werin dan 16 oed. Diddorol yw nodi mai cystadleuaeth dan 16 oed oedd yr alaw werin yr adeg honno. Bu'n llwyddiannus ar y gystadleuaeth alaw werin y flwyddyn wedyn hefyd ym Mangor ac yn Eisteddfod Hwlffordd y flwyddyn ganlynol. Rhoes hyn gychwyn ar gadwyn o lwyddiannau a barodd am flynyddoedd lawer ym maes canu gwerin nes iddi ennill y brif wobr, sef Gwobr Goffa Lady Herbert Lewis, yn 1978.

> Wrth symud i gystadlu yn yr oedran uwch (dan 21 oed), fy nghyd-gystadleuwyr oedd pobl fel Leah Owen, Cefin Roberts, Siân James, Einir Wyn Jones ac Einir Wyn Williams. Roedd Meinir a minnau'n hynod o falch o dderbyn Medalau Coffa J. Lloyd Williams fel rhan o'r wobr honno. Arferid eu cyflwyno i'r buddugwyr yn y cystadlaethau canu gwerin o dan 16 neu 21 oed. Mae nifer o'r medalau hyn yn y tŷ ac fe'u cedwir yn barchus yn eu bocsys 'cyflwyno' yn y cypyrddau *'trôffis'*.

> Pan oeddem yn blant, un o uchafbwyntiau'r flwyddyn gystadlu i Meinir a minnau oedd cael cystadlu yn Eisteddfod Gerddorol Ryngwladol Llangollen ar ddechrau mis Gorffennaf. Roedd yn arferiad gennym fel teulu i fynd yno yn y garafán ac aros am yr wythnos gyfan. Yn ogystal â'r Unawd Alaw Werin, byddem yn cystadlu ar yr unawdau clasurol. Byddai'r ddwy ohonom yn cyrraedd y llwyfan ar yr un gystadleuaeth ar sawl achlysur! Un o uchafbwyntiau fy ngyrfa oedd cael canu ac ennill ar lwyfan yr Eisteddfod honno yng nghanol y blodau a derbyn y tystysgrifau prydferth gyda neb llai na W. S. Gwynn Williams ei hun wedi eu harwyddo.

Wedi graddio o Brifysgol Aberystwyth, enillodd ysgoloriaeth i ymgymryd â gwaith ymchwil a arweiniodd at radd bellach, sef M.A. Nid oedd ganddi unrhyw amheuaeth o ba faes y buasai'n ei ddewis. Er ei boddhad yn canu unawdau a deuawdau clasurol, unawdau a deuawdau cerdd dant, maes yr alawon gwerin oedd â'r apêl fwyaf.

> Fy maes ymchwil oedd casgliad Maria Jane Williams, Aberpergwm – *Ancient National Airs of Gwent and Morganwg*. Dyma'r casgliad a roddodd y golau dydd cyntaf ar rai o'n halawon enwocaf fel 'Y Deryn Pur', 'Y Bore Glas', 'Clychau Aberdyfi', 'Y Ferch o'r Sger, 'Merch y Melinydd' a 'Bugeilio'r Gwenith Gwyn'. Wedi ennill Gwobr Goffa Lady Herbert Lewis ym mis Awst 1978, dechreuais ar y gwaith ymchwil yn nhymor yr hydref y flwyddyn honno.

> Er fy mod yn hoffi ysgafnder ac weithiau ddoniolwch alawon gwerin bywiog tebyg i'r 'Saith Rhyfeddod' a 'Lleuen Landeg', fy ffefrynnau

yw'r caneuon trist eu naws mewn cywair lleddf gyda chyffyrddiadau moddawl. Roeddwn wrth fy modd yn canu caneuon tebyg i 'Marchnad Llangollen' a 'Merch Ifanc o'n Ben Bore' ac yn cael blas anghyffredin ar greu'r angerdd, yr awyrgylch briodol a'r naws hiraethus a berthynai iddynt. Byddaf yn rhoi lle blaenllaw i'r geiriau bob tro pan fyddaf yn canu fy hun a phan fyddaf yn hyfforddi. I'r plant a'r bobl ifanc sydd yn dod acw am wersi, byddaf yn pwysleisio bob amser mor hanfodol a phwysig yw'r sylw i'r geiriau. Byddaf hefyd yn eu harwain i ddehongli'n ddeallus a threiddgar, i frawddegu'n ystyrlon, i adrodd y stori a chymeriadu'n fyw. Hyn oll yn gwbl gydnaws â'r arddull heb golli dim o'r naturioldeb angenrheidiol.

Cyn ymddeol treuliais oriau lawer yng nghwmni aelodau côr bechgyn hŷn yr ysgol. Cawsom lwyddiant ysgubol yn Eisteddfod Genedlaethol yr Urdd. gan ennill ddwywaith yn olynol yng nghystadleueth y Côr Gwerin Tri Llais. Trefnais alawon gwerin bywiog megis 'Gwenno Penygelli' a 'Bwmba' ar eu cyfer. Roedd eu perfform-iadau'n enghreifftiau gwych o afiaith a mwynhad pur wrth gyflwyno alawon gwerin!

Cred Eirian mai syniad ardderchog oedd sefydlu'r Tŷ Gwerin ar faes y Brifwyl. Mae'n gwerthfawrogi 'ei fod yn cynnig cyfle i bawb flasu ein canu traddodiadol mewn modd hwyliog a mwy anffurfiol na llwyfan fawr y Pafiliwn'.

Bu'n anrhydedd derbyn gwahoddiad i feirniadu cystadlaethau'r adran alawon gwerin ar sawl achlysur yn yr Eisteddfod Genedlaethol. Pleser llwyr bob amser yw dewis enillydd ar gyfer Gwobr Goffa Lady Herbert Lewis. Yn ddi-os, hon yw'r gystadleuaeth sy'n cynnig statws i'n canu gwerin ac sy'n ysbrydoli cantorion i ymgymryd â'r grefft draddodiadol werthfawr hon. Hir y parhao!

25. Einir Wyn Owen (Williams erbyn 1979)

Caernarfon a'r Cylch: 1979

Caneuon: 'Y G'lomen' a 'Torth o Fara'
Beirniaid: Meredydd Evans a Frances Môn Jones
(gweler 17, tudalen 73)

26. Dafydd Idris Edwards

Dyffryn Lliw: 1980

Caneuon: 'Cariad Cynta' a 'Bwmba'
Beirniaid: Shân Emlyn ac Anita Williams

Ganed Dafydd yn 1946 ac fe'i magwyd ar aelwyd gerddorol ym Mhenrywforgan, Treforys. Llanwyd ei gartref â seiniau emynau, yr hen ganiadau, caneuon gwerin ac opera. Roedd ei rieni'n canu gyda'r cwmni Opera Cenedlaethol, a'i fam, Eirionwen Edwards, yn unawdydd gyda'r cwmni. Hi fyddai'n ei ddysgu i ganu. Fe gyfoethogwyd ei brofiadau cerddorol ymhellach yn Ysgol Gymraeg Lôn Las, Aelwyd Treforys ac Ysgol Ramadeg Dinefwr, Abertawe. Yma, byddai'n canu deuawdau, caneuon gwerin yn bennaf i ddechrau, gydag Aled Thomas (Ysgol Dunbarton, Abertawe, yn ddiweddarach) ac yna gyda'r tenor adnabyddus, Wynford Evans.

Yn ystod 1957-59, bu Dafydd yn canu ar rai o'r rhaglenni Cymraeg cynharaf i blant, dan ofal Ifan O. Williams. Yn 1959, bu'n canu deuawdau emynau Seisnig mewn dros ugain o raglenni *Silver Chords*, a fyddai'n cael eu darlledu trwy Brydain.

Aeth i Goleg y Drindod, Caerfyrddin yn y 1960au. Yno fe gyfarfu â Meredydd Owen a ffurfion nhw grŵp gwerin o'r enw, Y Derwyddon. Roedd hi'n gyfnod caneuon protest, ac o gyffro yn natblygiad canu poblogaidd Cymraeg, ac felly byddai'r grŵp hefyd yn cyfansoddi a chanu caneuon protest. Elfen arall o'u canu oedd atgyfodi rhai o faledi llai adnabyddus (a pharchus) Jac Jones, Glan-y-gors, megis, 'Priodas Siencyn Morgan' a 'Miss Morgans Fawr', y daeth Dafydd ar eu traws 'ar hap' yn Llyfrgell Abertawe.

Ers y dyddiau hynny, fe dyfodd ei ddiddordeb mewn lloffa am hen faledi a'u cyflwyno i gynulleidfaoedd newydd ac mae'n ddiolchgar i gyfeillion megis Merêd a Phyllis, Roy Saer, a Tegwyn Jones am eu hanogaeth a'u cefnogaeth. Bu Dafydd yn fuddugol yng nghystadleuaeth Gwobr Lady Herbert Lewis yn Eisteddfod Dyffryn Lliw yn 1980 ac ym Mro Madog yn 1987. Bu'n feirniad ar y gystadleuaeth ar sawl achlysur, ac mae ganddo brofiad helaeth fel aelod o banel Alawon Gwerin yr Eisteddfod Genedlaethol. Mae i'w glywed ar y cryno ddisgiau *Hen Faledi Ffair* a *Ffylanin-tw!* ac ar wefan Baledi Prifysgol Caerdydd.

Dywedodd Dafydd:

> Mae ambell gân yn ffitio ambell ganwr fel maneg. Mae'n anodd meddwl am neb arall ond Myron Lloyd yn canu 'Yn y Dechreuad' neu Elfed Lewys yn canu 'Trafaeliais y Byd'. Rwy'n sicr mai hon oedd y gân a'm hysgogodd i roi cynnig ar ganu gwerin yn yr Eisteddfod Genedlaethol.
>
> Yn ystod fy ngwyliau niferus yng Nglan-llyn yn y 1960au, byddai'r *swogs* yn cyflwyno rhaglen nodwedd yn gyforiog o drysorau ein llen. Er mai'r un fyddai'r arlwy o flwyddyn i flwyddyn, doedd dim ots am hynny. Byddai'n cynnwys *Cofio*, rhan o *Wythnos yng Nghymru Fydd* ac *Un Nos Olau Leuad*, unawd gitâr, ac Elfed yn canu 'Trafaeliais y Byd'. Byddwn yn rhannu'r profiad gydag ambell gydwersyllwr (sy'n enw cyfarwydd erbyn hyn), gan gynnwys Heather Jones, Huw Jones, Geraint Jarman a Dewi Pws. Tybed a yw gwersyllwyr heddiw yn cael cyfle i brofi'r un cyfoeth? O ganlyniad, byddwn yn gwrando ar gystadleuaeth Gwobr Goffa Lady Herbert Lewis ym mhob Steddfod Genedlaethol, gan obeithio clywed Elfed yn canu.

Yn ei ymdrech gyntaf yn Abertawe yn 1964, yng nghystadleuaeth J. Lloyd Williams, o dan un ar hugain, bu'n aflwyddiannus.

Aeth sawl blwyddyn heibio cyn i mi fentro cystadlu am y brif wobr eto ond yn 'steddfod y llwch' yn Aberteifi, 1976, penderfynais 'brofi'r dŵr'. Rwy'n cofio i mi ddewis 'Ffarwel i Langyfelach Lon' ond roedd hi'n 'ffarwel' cyn i mi gyrraedd y llwyfan, diolch i'r beirniaid, Elfed Lewys a Phyllis Kinney. Cynigiais eto yng Nghaerdydd yn 1978 ac fe wellaodd pethe. Ces drydedd wobr wrth ganu 'Cân y Cathreiniwr', cân roeddwn i wedi canu llawer arni, ond pe bai'r beirniad, Buddug Lloyd Roberts, heb sylwi bod ambell air wedi newid o'r copi, wel pwy a ŵyr ...

Erbyn 1980 yn Nyffryn Lliw, roeddwn i wedi dysgu fy ngwers a pharatoi'n drwyadl, fe obeithiwn! Dewisais ddwy gân hollol gyferbyniol: 'Bwmba', y fersiwn ffres, diflewyn-ar-dafod o Fathri, a chân yr oedd fy mam wedi dysgu i mi ei chanu ar ôl i fy llais dorri, sef 'Cariad Cynta'. Diolch i'r beirniaid caredig, Shân Emlyn ac Anita Williams, dyma fi'n ennill Tlws Lady Herbert Lewis.

Daeth llwyddiant eto ym Mro Madog. Rwy'n credu i mi ganu, 'Y Gwcw Fach Lwydlas', cân weddol leol o Aberdaron, a'r 'Gaseg Ddu', cân roeddwn i'n hoff iawn o'i chanu. Rhidian Griffiths oedd un o'r beirniaid.

Pan oedd Dafydd yn cystadlu, doedd dim dal pryd yn union y byddai'r gystadleuaeth ar lwyfan y pafiliwn.

Y tro gwaetha, rwy'n meddwl, oedd yn Nyffryn Lliw: tua hanner awr wedi naw'r bore, pump yn y gynulleidfa gan gynnwys dau fabi, a'r rheini'n crio! Erbyn heddiw, mae'r gystadleuaeth, sef prif gystadleuaeth yr adran, yn cael ei phriod le.

Mae Dafydd yn gwerthfawrogi ei fagwraeth a roddodd iddo ddiddordeb mawr mewn canu gwerin a chanu opera. Er bod y ddwy grefft yn ymddangos yn ddwy grefft hollol wahanol, cred Dafydd fod iddynt elfennau sy'n gyffredin. Noda'r rhain fel hoelio sylw, creu awyrgylch, tynnu'r gwrandäwr i mewn i'r stori, argyhoeddi. Er bod gofynion technegol canu opera weithiau'n drech na chanwr gwerin, gall ragori o ran geirio'n glir a chadw'r traw wrth ganu'n ddigyfeiliant, meddai!

Cafodd Dafydd gyfle i feirniadu'r brif gystadleuaeth sawl gwaith a bu'n aelod o Banel Canolog Alawon Gwerin yr Eisteddfod Genedlaethol ers rhai blynyddoedd. Er mor bleserus yw gweld bod y cystadlaethau llwyfan, digyfeiliant yn dal i ffynnu, cred Dafydd mai'r Tŷ Gwerin yw'r datblygiad mwyaf cyffrous.

> Mae'n golygu bod llwyfan i'r traddodiadol a'r arloesol, i gerddorion poblogaidd a'r rhai dibrofiad, i'r ifanc a'r hŷn. Diolch i gyfarwyddwr 'trac' ar y pryd, Siân Tomos (Siân Toronto), am arwain y datblygiad ardderchog.

Mae Dafydd hefyd yn dymuno cydnabod y ffordd y mae Bwrdd Canolog 'trac' yn parhau i ddatblygu'r fenter o flwyddyn i flwyddyn.

27. Menna Thomas

Maldwyn a'i Chyffiniau: 1981

Caneuon: 'Pa Bryd y Deui Eto?' a 'Merch y Melinydd'
Beirniaid: Shân Emlyn ac Elfed Lewys

Ganed Menna yn 1959 ac fe'i magwyd ym Maesteg yng Nghwm Llynfi. Derbyniodd ei haddysg gynradd yn Ysgol Gymraeg Maesteg a'i haddysg uwchradd yn Ysgol Gyfun Rhydfelen, wedi i'w theulu symud i Ben-y-bont ar Ogwr. Ar ôl graddio yn Aberystwyth, dychwelodd i Ysgol Rhydfelen (Garth Olwg, yn ddiweddarach) i ddysgu. Ers bron i chwarter canrif, bellach, hi yw hyfforddwraig Parti'r Efail, criw o ddynion sydd â chanu gwerin yn rhan annatod o'u rhaglen gyngerdd.

Dywedodd Menna:

Gan mam y dysgais i ganeuon gwerin gyntaf, a hynny i ddifyrru'r amser ar siwrneiau hir yn y car. Roedd yna gyfrolau o ganeuon gwerin gartre ac wrth dyfu'n hŷn fe ges lawer o bleser yn pori drwyddynt ac yn dysgu'r caneuon oedd yn apelio ataf. Doedd neb yn fy hyfforddi i'w canu – 'mond fy mhlesio fy hun roeddwn i! Ac eithrio Eisteddfodau'r Urdd, prin oedd eisteddfodau lleol yn ein hardal ni ond ces gyfle yn bymtheg oed i gystadlu yn y Barri. Merêd oedd y beirniad ac fe fu ei anogaeth yn hwb mawr i fi. Ro'n i'n hynod falch ei fod yn un o'r beirniaid, ynghyd ag Arfon Gwilym, pan enillais i Wobr Goffa J. Lloyd Williams yn Eisteddfod Genedlaethol Caernarfon 1979.

Yn 1981, fe gystadlais am Wobr Goffa Lady Herbert Lewis yn Eisteddfod Maldwyn a'i Chyffiniau. Myfyrwraig oeddwn i ar y pryd yn aros gyda ffrindiau ar y maes carafanau. Doedd dim car gan 'run ohonon ni ac felly doedd gen i ddim dewis ond cerdded o'r garafán i Neuadd Cwm Llinau erbyn naw'r bore i gystadlu yn y rhagbrawf. Dyma gychwyn yn blygeiniol, a hynny yn fy nillad parch, yn gwisgo pâr o sandalau sodlau uchel roeddwn i wedi eu benthyg gan mam. Fe ges ddigon o gyfle i ymarfer y caneuon ar y ffordd, a hynny, drwy lwc, heb weld yr un enaid byw. Cyrhaeddais y neuadd mewn pryd a mwynhau clywed yr amrywiaeth eang o ganeuon. Roedd y rhagbrawf yn gyngerdd ynddo'i hun.

Erbyn i'r rhagbrawf orffen doedd dim llawer o amser cyn y byddai'r gystadleuaeth ar y llwyfan ond ces gynnig lifft gan gydgystadleuydd caredig a ollyngodd fi o fewn rhyw ganllath i'r fynedfa. A dyna pryd y digwyddodd *yr anffawd fawr* – fe dorrodd sawd un o'm sandalau! Er holi a chrefu, doedd gan neb esgidiau addas i'w benthyca i fi ac roedd y gystadleuaeth yn prysur agosáu Wel, doedd gen i ddim dewis, nac oedd? Gorfu i fi rwygo'r sawdl oddi ar y sandal arall fel bod fy nhraed yn matsho'i gilydd! Fe gerddais i'r llwyfan fel hwyaden mewn slipers, yn ddi-sodlau gyda blaenau fy nhraed yn pwyntio at i fyny.

Does gen i fawr o gof o'r perfformiad ei hun, a bod yn onest, ond mae'n rhaid bod pethau wedi mynd yn weddol gan fod y beirniaid wedi bod yn garedig ac wedi dyfarnu o'm plaid i. Ar fy ffordd o'r maes, fe stopiodd rhywun fi a holi, 'Ai chi enillodd yr alaw werin? O'n i'n meddwl mai ie – wnes i nabod eich sgidia chi!' I goroni'r cyfan, sylw mam un o fy ffrindiau oedd, 'Ganodd Menna'n ddigon neis – ond beth ddiawch oedd ganddi am ei thraed?!

Serch embaras y sandalau, roedd ennill cystadleuaeth Gwobr Goffa Lady Herbert Lewis yn anrhydedd o'r mwyaf i Menna. Roedd hi'n hynod falch fod ei henw ymhlith y rhestr a dderbyniodd y wobr. Mae'n credu ei bod yn gwbl hanfodol bod canu gwerin yn cael ei le haeddiannol a statws ar lwyfan ein Prifwyl. Mae hi hefyd yn llawenhau fod yr enillwyr bellach yn cael eu hanrhydeddu mewn gwisg wen yng Ngorsedd y Beirdd. Mae'n llawenhau bod enillwyr prif wobr canu gwerin, fel y Prifeirdd a'r Prif Lenorion, yn derbyn cydnabyddiaeth gyhoeddus.

28. Harry Richards (1935-2017)

Abertawe a'r Cylch: 1982

Caneuon: 'Yr Eneth Gadd ei Gwrthod' a 'Yr Hogen Goch'
Beirniaid: Emrys Bennett Owen a Phyllis Kinney
(gweler 8, tudalen 54)

29. Eleri Roberts

Ynys Môn: 1983

Caneuon: 'Twll Bach y Clo' ac 'Adar Mân y Mynydd'
Beirniaid: Myron Lloyd a Meinir McDonald

Ganed Eleri yn 1957 ym Mynea, Llanelli, yn ferch i'r Capten Gwilym a Kitty Roberts. Fe'i haddysgwyd yn Llanelli ac yng Ngholeg y Drindod, Caerfyrddin, lle astudiodd gerddoriaeth a'r Gymraeg. Bu'n athrawes y Cyfnod Sylfaen mewn amryw o ysgolion yn Sir Gaerfyrddin, Morgannwg Ganol a Chaerdydd. Bu hefyd yn Athrawes Fro yn ardal Abertawe. Yna, dychwelodd at ddosbarthiadau'r Cyfnod Sylfaen yn ysgolion cynradd Pontardawe a Thyle'r Ynn, Llansawel. Yma, hefyd, bu'n Ddirprwy Bennaeth cyn iddi ymddeol yn 2014. Un o'i ffrindiau ysgol yn Llanelli oedd Elin Rhys (*Teledu Telesgop*), a bu'r ddeuawd swynol 'Elin ac Eleri' yn boblogaidd iawn ar lwyfannau ac ar deledu. Roedd cryn alwad am iddynt berfformio mewn cyfresi teledu fel *Llusern* a *Noson Lawen, Taro Tant, Parti Nadolig HTV* a llawer o raglenni eraill. Bu Eleri'n beirniadu droeon mewn cystadlaethau canu gwerin. Priododd Eurig Davies yn 1984 ac yntau'n adnabyddus ar lwyfannau ein gwyliau cenedlaethol ac ym myd addysg yng Nghymru.

Dywedodd Eleri:

Y dylanwad pennaf arnaf fel cantores werin oedd Meinir Lloyd. Pan symudais i fyw i Gaerfyrddin, roedd Meinir yn weithgar iawn yn y dref a'r cylch. Byddai hefyd yn arwain a hyfforddi corau a phartïon llwyddiannus iawn. Drwy hyfforddiant Meinir, dysgais mai naturioldeb llwyr yw hanfod unrhyw ddatganiad gwerin. Cefais lwyddiant yn eisteddfodau'r Urdd yng nghystadlaethau'r alaw werin. Felly, dyma benderfynu ymgeisio yn Eisteddfod Llangefni a'r Cylch yn 1983 yng nghystadleuaeth Gwobr Goffa Lady Herbert Lewis.

Mae gen i atgofion hyfryd am aros yn ystod yr Eisteddfod mewn bwthyn ym Marian-glas. Roedd yn agos at dŷ Nain ym Moelfre a hen gartre 'nhad. Felly cefais gyfle da ac amser braf i ymweld â pherthnasau a ffrindiau. Yn y dyddiau hynny, cynhelid y rhagbrawf a'r gystadleuaeth ar ddyddiau gwahanol. Cofiaf mai mewn festri capel yn y dref yr oedd y rhagbrawf. Wedi imi ganu – yn weddol, yn fy marn i – penderfynom ymlacio yn ystod y prynhawn heulog a chynnes ym Moelfre a Llugwy. Bu traeth bendigedig Llugwy'n ffefryn teuluol gennym ers blynyddoedd, ac mae'n parhau i fod, er i'r hen gyswllt â Moelfre leihau erbyn hyn. Cefais wybod ben bore trannoeth fy mod wedi plesio'r beirniad, Myron Lloyd, a'i bod wedi fy rhoi ar y llwyfan. Cefais ymarfer brys er mwyn rhoi rhagor o sglein ar fy nwy alaw: 'Twll Bach y Clo' ac 'Adar Mân y Mynydd'. Gweithies yn ddygn i sicrhau bod y ddwy'n gwrthgyferbynnu'n effeithiol. Ymddangosais ar y llwyfan yn y prynhawn, ac ennill y gystadleuaeth. Yna deuthum adre â chwpan Lady

Herbert Lewis yn fy nwylo balch. Cawsom y fath amser da yn Eisteddfod Llangefni fel y penderfynom aros ym Môn am wythnos ychwanegol! Doedd Nain, sef Elizabeth Roberts, Treflys, Moelfre, ddim yn ddigon iach i ddod i'r Eisteddfod. Fodd bynnag, fe glywodd y gystadleuaeth ar y radio ac, i mi, roedd ennill ym Môn yn hyfryd o arwyddocaol oherwydd y cysylltiadau teuluol.

Cred Eleri fod lle pwysig i ganu gwerin ar lwyfannau'r eisteddfodau a'r gwyliau cenedlaethol. Yn ei thyb hi, er bod datblygiadau megis y Tŷ Gwerin yn gam mawr ymlaen, mae angen cadw lle haeddiannol i eitemau gwerin ar y prif lwyfan.

Mae'n gwbl angenrheidiol bod y greff draddodiadol Gymreig yn cael statws drwy gael cydraddoldeb ar lwyfan y Brifwyl. Ceir amrywiaeth o fewn cystadleuaeth Gwobr Goffa'r Fonesig Herbert Lewis hefyd gan fod rhyddid i'r cantorion ddewis eu dwy gân.

30. Joyce Williams Smithies

Llanbedr Pont Steffan a'r Fro:1984

Caneuon: 'Beth yw'r Haf i Mi?' a 'Torth o Fara'
Beirniaid: Buddug Lloyd Roberts ac Alun Davies

Ganed Joyce yn 1953 ac fe'i magwyd yn Nhrefeglwys. Yna symudodd y teulu – ei rhieni a'i thri brawd – i fyw yn fferm Pen y Banc, Oakley Park. Mynychodd ysgolion cynradd Trefeglwys ac Oakley Park ac yna Ysgol Uwchradd Llanidloes. Yn dilyn ei phriodas yn 1972, gweithiodd fel swyddog banc mewn canghennau amrywiol yng Nghanolbarth a Gogledd Cymru. Ar hyn o bryd, mae'n byw yn Llanidloes.

Dywedodd Joyce:

Cefais fy nenu i fyd eisteddfodau lleol gan fy mam. Dechreuais ar y cylch cystadlu pan oeddwn yn ddim o beth – ryw dair oed! Bûm yn gwrando'n astud ar lu o gystadleuwyr yn canu alawon gwerin mewn cyngherddau ac eisteddfodau. Yna, yn fy arddegau cynnar, penderfynais fentro cystadlu fy hun. Bûm yn cystadlu mewn eisteddfodau

di-ri yn lleol ac yn genedlaethol, gan gynnwys Eisteddfod Gerddorol Ryngwladol Llangollen. Er nad oeddwn yn ddigon hyderus i siarad Cymraeg, ni chefais unrhyw anhawster mewn canu yn y Gymraeg. Roeddwn yn deall llawn ddigon o'r iaith i fedru deall y geiriau a chyfleu naws y gân.

Hyfforddwyd Joyce gan sawl cerddor nodedig i'w chynorthwyo i ddatblygu technegau canu fel meistroli'r anadl a chynhyrchu ei llais. Noda'n benodol Eiluned Douglas Williams, Dolgellau, cyfeilydd i gantorion megis Dai Jones a Richard Rees. Cafodd wersi hefyd gan Redvers Llewellyn, canwr opera fu'n perfformio gyda chwmnïau Carl Rosa a Sadler's Wells cyn iddo weithio fel athro llais ym Mhrifysgol Aberystwyth. Bu Gwilym Jones, Caersws –hyfforddwr llais, unawdydd ac arweinydd côr – hefyd yn ddylanwad cryf arni, ynghyd â Colin Jones, Rhosllannerchrugog, â'i ddoniau canu corawl eithriadol. Bu Joyce a nifer o ddisgyblion eraill yn elwa'n fawr o arbenigedd ac ysbrydoliaeth Eirian Owen. Bu Eirian Owen yn llwyddiannus fel pianydd a chyfeilydd ers yn ifanc iawn. Treuliodd flynyddoedd cynnar ei gyrfa yn bennaeth Adran Gerdd Ysgol Uwchradd y Gader, Dolgellau. Yna, am ugain mlynedd, hi oedd prif gyfeilydd a thiwtor piano Ysgol Gerdd Chethams, Manceinion. Er ei phrysurdeb a'i chyfrifoldebau amrywiol, parhaodd Eirian i roddi gwersi llais a phiano yn y dref. O'r profiadau gwerthfawr hyn, lluniodd Joyce farn bendant am nodweddion hanfodol canu gwerin:

Er bod ein caneuon gwerin Cymraeg wedi'u sgorio a'u cyhoeddi, credaf yn y rhyddid i'r canwr roi stamp personol ar y gân i daro deg gyda'r gynulleidfa i ennyn diddordeb a mwynhad.

Nid oedd Joyce yn cofio llawer am ddiwrnod y cystadlu ond cofiai iddi rag-weld y byddai'n brofiad a hanner. Gwyddai fod ennill Gwobr Goffa Lady Herbert Lewis – pinacl canu gwerin yng Nghymru – yn anrhydedd fawreddog. Roedd yn gwerthfawrogi'r profiadau gwerthfawr a gafodd wrth gystadlu'n ifanc a'r cyfle i fagu hyder. Cydnebydd Joyce gyfraniad ac arweiniad ei thîm o hyfforddwyr talentog a phrofiadol yn ei llwyddiant. Ac meddai:

Mae canu gwerin yn elfen mor brydferth a gwerthfawr o'n treftadaeth Gymreig na ddylid ei chyfyngu'n ormodol.

31. Andrew O'Neill (1958 – 2004)

Y Rhyl a'r Cyffiniau: 1985

Caneuon: 'Trafaeliais y Byd' a 'Yr Hen ŵr Mwyn'
Beirniaid: Myron Lloyd, Meredydd Evans ac Emrys Jones

Ganed Andrew O'Neill yn 1958 ym Mhontarddulais yn un o chwech o blant i Dr William ac Eva O'Neill. Roeddent i gyd – Dennis (1948), ei chwiorydd Elizabeth (1949), Patricia (1950) a Doreen (1953), Andrew (1958) a Sean (1965) – wedi eu trwytho yn nhraddodiadau'r Eisteddfod. Aeth Andrew ymlaen i ennill prif gystadlaethau llefaru unigol a chanu unawdau cerdd dant a chanu gwerin. Yr oedd yn gerddor o fri gyda graddau M.A. Cantab. ac A.R.C.M.

Dywedodd Patricia:

Dysgwyd Andrew i siarad Cymraeg gan ei fam, Eva, a'i ddeg modryb. Roedd yn ymfalchïo yn ei Gymreictod ac anwylodd y diwylliant Cymreig yn llwyr. Ymunodd â chorau fel Côr Llwchwr dan gyfarwyddyd Madam Myra Rees, a chorau cerdd dant amrywiol. Eirys Edwards a'i hyfforddodd i ganu gwerin. Hi oedd chwaer ei athro ym Mlwyddyn 6 yn Ysgol Gynradd Pontarddulais, Dan gyfarwyddyd Eirys fe benderfynodd Andrew arbenigo mewn canu gwerin a cherdd dant. Aeth ati'n ddiweddarach i greu gosodiadau cerdd dant ei hun. Yn Eisteddfod y Rhyl yn 1985 gwireddodd ei freuddwyd drwy ennill Gwobr Goffa Lady Herbert Lewis. Dilynodd ei fywyd lawer trywydd, a'r wobr hon a roddodd iddo'r hyder i dorri cwys gerddorol arbennig gyda'r BBC. Yn ddiweddarach, fe'i penodwyd yn Gomisiynydd Cerddoriaeth S4C.

Dechreuodd Andrew gymryd diddordeb mewn dawnsio gwerin Cymreig yn 1980 pan ymunodd â Dawnswyr Nantgarw. Awgrymodd Eirlys Britton, arweinydd y dawnswyr, y byddai'n fuddiol i gynnwys canu gwerin neu gerdd dant yn eu perfformiadau dawns. Derbyniodd Andrew ei hawgrym a gosododd y ddwy alaw, 'Ym Mhontypridd mae 'Nghariad' a 'Bugeilio'r Gwenith Gwyn', a'u canu uwchben prif alaw'r ddawns, sef Dawns Llanofer. Fe weithiodd yn hyfryd wrth i'r alawon weu i'w gilydd. Roedd yn syniad arloesol ar y pryd pan fu Dawnswyr Nantgarw'n llwyddiannus yng Ngŵyl Cerdd Dant, Corwen.

Yn ôl ei chwaer, Patricia:

Doedd Andrew ddim yn fodlon cyfyngu ei fwynhad o'i Gymreictod i Gymru'n unig. Yn sgil hyn, penderfynodd y byddai'n hyrwyddo iaith a diwylliant Cymru pa le bynnag y teithiai yn y byd. Bob nos pan oedd yn bianydd ar y QE2, byddai'n cynnwys alawon gwerin a cherdd dant yng nghanol ei repertoire o Cole Porter a Gershwin. Bu hyn yn llwyddiant ysgubol. Ar ôl un noson hir ar y piano, cafodd gerydd am iddo golli'r ymarfer dril tân y bore canlynol. Atebodd gyda'i hiwmor ffraeth arferol, 'Sorry but I'm Welsh, I'm decorative not functional!' O dan yr hiwmor, roedd 'na berson hynod grefyddol a oedd hyd yn oed wedi ystyried yr offeiriadaeth ar un adeg. Tra roedd Andrew yn astudio yn Rhufain, cafodd wahoddiad i ddysgu ychydig o frawddegau

Cymraeg i'r Pab a oedd ar fin ymweld â Chymru. Derbyniodd y gwahoddiad ac, yn nodweddiadol ohono, manteisiodd ar y cyfle i ganu ei hoff ganeuon gwerin iddo'r un pryd! Pwy fuasai'n meddwl pan enillodd Wobr Lady Herbert Lewis, y byddai hynny'n arwain i Rufain, ac i hyrwyddo'r iaith Gymraeg a'i diwylliant ledled y byd?

Ychwanegodd Cliff Jones, cydarweinydd Dawnswyr Nantgarw:

Beth oedd yn wych am Andrew oedd ei allu i briodi dwy ddisgyblaeth mor gelfydd. Gallai addasu purdeb alawon gwerin i ychwanegu at berfformiad theatrig dawns i greu cyfanwaith artistig cofiadwy iawn.

Aeth Patricia ymlaen i ddweud:

Roedd fy mrawd, Andrew, yn berson unigryw, yn ddyn deallus tu hwnt, yn ffraeth a doniol, crefyddol a thrugarog. Roedd yn berfformiwr o'r radd flaenaf; gallai'ch denu i wylo a chwerthin o fewn yr un gân hyd yn oed. Yn hynny o beth, roedd yn debyg iawn i'r diweddar ddiddanydd poblogaidd, Ryan Davies.

Bu farw Andrew yn 46 mlwydd oed ym mis Hydref, 2004, ac fe'i claddwyd ym mynwent Pantmawr, Caerdydd. Cyfansoddodd ei hyfforddwraig, Eirys Edwards, y gerdd a ganlyn yn deyrnged iddo.

Cofio'r wên a'r llygaid siriol,
Cofio'r llais a'r alaw swynol,
Cofio talent wych yr actor,
Cofio dawn unigryw cerddor,
Cofio'r cymeriad hoffus hynod
Fu yn seren ein heisteddfod.

Ar nodyn personol, mae gennyf innau atgofion annwyl o Andrew a'i berfformiadau gwefreiddiol bythgofiadwy. Braint i mi oedd adnabod y Cymro o fri hwn a gyflawnodd gymaint mewn byr amser.

32. Siân Eirian

Abergwaun a'r Fro: 1986

Caneuon: 'Pan Oeddwn ar Ddydd yn Cyd-rodio'
a 'Mae Robin yn Swil'
Beirniaid: Alwyn Samuel a Myron Lloyd

Ganed Siân yn 1964 ac fe'i magwyd ar fferm Mynachdy Bach, Llangybi, ym Mro Eifionydd. Mynychodd Ysgol Gynradd Llangybi ac yna Ysgol Glan y Môr Pwllheli. Graddiodd ym Mhrifysgol Bangor cyn cychwyn ar ei gyrfa fel athrawes yn Ysgol Gynradd Dinas Mawddwy. Yn ystod y cyfnod hwn, bu'n aelod o *Theatr Maldwyn* a chafodd ran flaenllaw yn eu cynhyrchiad o'r sioe *'Pum Diwrnod o Ryddid'*. Ar ôl cyfnod o dair blynedd, symudodd yn ôl i Eifionydd a bu'n athrawes yn Ysgol Cymerau Pwllheli. Bryd hynny ymaelododd â Chôr Eifionydd. Priododd â'i gŵr, Tim Davies, yn 1967 ac erbyn hyn maent yn byw ym Môn. Mae Siân – dan yr enw Siân Davies-Hughes – yn athrawes yn Ysgol Gynradd Llanfairpwll.

Dywedodd Siân:

> Roedd y capel a'r Ysgol Sul yn bwysig yn fy magwraeth. Yng nghylchwyl y capeli a'r eisteddfodau lleol y dechreuais gystadlu pan oeddwn yn ifanc iawn. Crwydro o 'Steddfod i 'Steddfod ledled Cymru oedd fy hanes yn ystod fy ieuenctid a bûm yn ffodus iawn o gael bod yn un o ddisgyblion Leah Owen. O dan ei dylanwad, dechreuais gystadlu yng nghystadlaethau alawon gwerin fel unigolyn ac fel aelod o barti Lleisiau'r Ynys.
>
> Mae'r atgof o'r ŵyl Cerdd Dant yn Nhal y Bont yn 1977 yn fyw yn fy nghof. Sôn am dywydd! Roedd y siwrne i lawr ar y nos Wener yn antur ynddi'i hun! Deuthum ar draws llifogydd difrifol ym Maentwrog ac roedd pawb call yn troi'n ôl. Ysywaeth, doedd hynny ddim yn ddewis

i ni, roeddem yn benderfynol o frwydro yn erbyn yr elfennau i gyrraedd pen y daith. Doedd y tywydd stormus ddim llawer gwell ar y dydd Sadwrn ac fe gollwyd y cyflenwad trydan. Fodd bynnag, er gwaethaf pawb a phopeth, aeth yr eisteddfod rhagddi a chefais innau lwyfan ar yr alaw werin dan 18 oed. 'Y Saith Rhyfeddod' oedd y darn prawf a thipyn o gamp oedd cofio'r geiriau, ond fe lwyddais i gyrraedd y seithfed rhyfeddod (gydag ychydig o gymorth o'r gynulleidfa i gyfri at y saith!) ac ennill y wobr gyntaf!

Heb os nac oni bai, yn 1986 y daeth uchafbwynt y cystadlu i mi. Fe lwyddais i ennill dwy wobr gyntaf yn Eisteddfod yr Urdd yn Nyffryn Ogwen ar yr unawd cerdd dant dan 25 yn ogystal â'r unawd alaw werin drwy ganu 'Beth yw'r Haf i Mi?' a'r 'Cobler Du Bach'.

Cynhaliwyd yr Eisteddfod Genedlaethol y flwyddyn honno yn Abergwaun ac yma yr enillais Gwobr Goffa Lady Herbert Lewis. 'Hosanna Mwy' ac 'Mae Robin yn Swil' oedd yr alawon a ddewisais. Yn yr un Eisteddfod, enillais unawd cerdd dant agored hefyd. Wedyn yn yr ŵyl Cerdd Dant yn Wrecsam, enillais y wobr gyntaf ar yr unawd cerdd dant agored a'r drydedd wobr ar yr alaw werin. Tipyn o flwyddyn!

Hyd heddiw, rwy'n parhau i fwynhau canu rhai o'm hoff alawon gwerin, megis 'Mil Harddach Wyt na'r Rhosyn Gwyn' a 'Myn Mair', pan ddaw'r cyfle mewn ambell gyngerdd neu wasanaeth Nadolig. Braf hefyd yw parhau i gystadlu ar gystadlaethau alawon werin fel aelod o Gôr Eifionydd. Yn wir, fe enillodd y côr y wobr gyntaf yn yr ŵyl Cerdd Dant ym Mlaenau Ffestiniog eleni pan ganon ni 'Yn iach i ti, Gymru' a threfniant gan Hugh Gwynne o'r alaw werin 'Y March Glas'.

Mae Siân yn arweinydd Parti Cerdd Dant Tegeirian nad yw hyd yma wedi mentro i'r maes canu gwerin ond pwy a ŵyr beth a ddigwydd yn y dyfodol! Mae hi'n cofio cyfarwyddyd ei mentor, Leah Owen, a fyddai'n pwysleisio 'arddull werinol, naturioldeb, a chanu gonest o'r galon'.

Yn fy marn i, mae'n angenrheidiol fod canu gwerin digyfeiliant yn cael ei le dyledus ar lwyfan pafiliwn yr Eisteddfod Genedlaethol. Braf, hefyd, yw cael llwyfan i ganu traddodiadol a bandiau gwahanol i gyrraedd cynulleidfaoedd ehangach. Da gweld cerddorion a chantorion profiadol yn arddangos eu crefft a rhai llai profiadol yn magu talent i ddiogelu'r grefft i'r dyfodol.

33. Dafydd Idris Edwards

Bro Madog: 1987

Caneuon: 'Y Gwcw Fach Lwydlas' a 'Ffair Henfeddau'
Beirniaid: Shân Emlyn a Rhidian Griffiths
(gweler 26, tudalen 88)

34. Margaret Ann Millington

Casnewydd: 1988

Caneuon: 'Yr Eneth Glaf' a 'Ffair Henfeddau'
Beirniaid: Phyllis Kinney a Meredydd Evans

Ganed Margaret Davies yn 1951 ac fe'i magwyd yng Nglynrhedyn, Cwm Rhondda. Mynychodd Ysgol Gynradd Gymraeg Pont-y-gwaith (bellach yn Ysgol Gynradd Gymraeg Llwyncelyn). Hi, yn 1962, oedd un o ddisgyblion cyntaf Ysgol Uwchradd Rhydfelen. Priododd yn 1974 â Ted Millington a fu farw'n sydyn iawn. Fe gawsant un mab, David. Ail-briododd Margaret â Vick Bevan yn 2007.

Dywedodd Margaret:

> Datblygodd fy niddordeb mewn canu dan ofal ac arweiniad Lily Richards, athrawes gerdd Ysgol Rhydfelen. Rhoddodd hyder arbennig imi drwy gynnig cyfleoedd imi ganu unawdau o flaen cynulleidfa. Bûm yn teithio i eisteddfodau ledled Cymru gyda'm rhieni a'm mab ifanc David. Buom ein dau yn canu deuawdau yng nghystadleuaeth yr emyn dôn, yn enwedig yn Eisteddfod flynyddol Upper Chapel. Bu fy rhieni'n gefnogol iawn imi ar hyd y blynyddoedd. Gan mwyaf, caneuon operatig, oratorios a'r hen ganiadau fyddaf i'n eu canu'n awr.

Tra'n fyfyrwraig yng Ngholeg Hyfforddi Abertawe, derbyniodd wersi canu gan Fadam Julia Hilger yng Ngholeg Cerdd a Drama Caerdydd bob penwythnos. Wedi cwblhau ei hyfforddiant yn Abertawe, fe ddychwelodd i'w hen ysgol ym Mhont-y-gwaith fel athrawes yn yr adran fabanod. Dros y blynyddoedd bu'n unawdydd gyda chorau

meibion lleol megis Pendyrus a Threorci ond gan mwyaf gyda Chôr
Meibion Morlais, Ferndale.

Bûm yn ffodus iawn fod Rosalie Evans, cyfeilydd Côr Morlais yn medru
trefnu nifer o ganeuon gwerin traddodiadol i gyfeiliant y piano. Cefais
gyfleoedd i deithio dramor gyda'r côr i Ffrainc, Sbaen, Budapest, Prague
Cyprus, Yr Almaen, Ffindir, Yr Unol Daleithiau a Chanada. Bûm hefyd
yn ffodus i ymddangos ar raglenni teledu megis *Disc a Dawn* a *Tra bo
Dau*. Cefais wahoddiad ddwy flynedd yn olynol gan Gymdeithas
Gymraeg Paris. Er mai caneuon clasurol oeddwn yn eu canu ar hyd y

blynyddoedd, roedd gen i
ddiddordeb hefyd mewn
canu caneuon gwerin yn
ddigyfeiliant a hunan
gyfeilio ar y gitâr. Tra bydda
i'n derbyn hyfforddiant
clasurol byddaf yn cadw at
fframwaith a rheolau
pendant, felly'n gaeth i'r
darn. Ond nid felly'r oedd hi
gyda chanu gwerin. Roedd
gen i ryddid i ganu o'r galon
a rhyddid i ddehongli
geiriau 'r gân yn naturiol a
di-ffws yn fy ffordd fy hun.
Roedd gen i lyfrau caneuon
gwerin Cymraeg a Saesneg

ac mi fyddwn yn treulio llawer o'm hamser yn dysgu caneuon newydd.
Penderfynais gystadlu am y tro cyntaf ar gystadleuaeth Gwobr Goffa
Lady Herbert Lewis yn Eisteddfod Casnewydd yn 1988. Dewisais 'Yr
Eneth Glaf' fel fy nghân drist ac emosiynol a 'Ffair Henfeddau' fel fy
nghân ysgafn a digri.

Cofiaf yn glir y sioc a gefais wrth glywed, i ddechrau, 'mod i wedi
cyrraedd y llwyfan ac wedyn fy mod wedi llwyddo i ennill y wobr
gyntaf. Cofiaf ran o feirniadaeth Meredydd Evans pan soniodd am fy
nehongliad naturiol a di-ffws, sef yn gwmws beth oedd fy mwriad.

Yn 1989, ar sail ei llwyddiant y flwyddyn flaenorol, cafodd Margaret
ei derbyn yn aelod anrhydeddus o Orsedd y Beirdd. Yr enw a

ddewisodd oedd Marged ap Glyn yn deyrnged i'w hannwyl dad, Glyndŵr.

Ymddeolodd Margaret o ddysgu rai blynyddoedd yn ôl ac ychydig iawn o ganu cyhoeddus a wna erbyn hyn. Treulia hi a'i gŵr, a'u ci, Guto, ran helaeth o'r flwyddyn yn eu hail gartref mewn pentref bychan, tawel yng nghanol y wlad yn Llydaw. Yn ogystal â rhedeg Guto ar lan y môr, mae hi'n hollol gyfforddus ymysg ei ffrindiau Celtaidd.

> Ymdrechaf i fynychu'r Eisteddfod Genedlaethol fel ymwelydd, a'r ŵyl Geltaidd yn Lorient, er mwyn cadw cysylltiad gyda'r byd canu a chanu gwerin. Mae'n braf clywed yr alawon a gwybod bod canu gwerin Cymreig nid yn unig yn ffynnu yng Nghymru ond hefyd yn ein gwyliau gwerin yn fyd eang.

35. Nia Clwyd

Dyffryn Conwy: 1989

Caneuon: 'Adar Mân y Mynydd' a 'Mae Robin yn Swil'
Beirniaid: Myron Lloyd a Buddug Lloyd Roberts

Ganed Nia yn 1967 ac fe'i magwyd ym Mheniel, ger Dinbych, ond bellach, ers 1990, ymgartrefodd yn Llandeilo, Sir Gâr. Mynychodd Ysgol Gynradd Pantpastynog, Prion, ac yna Ysgol Uwchradd Glan Clwyd. Aeth ymlaen i ddilyn cwrs gradd yn y Gymraeg yn y Brifysgol ym Mangor cyn hyfforddi i fod yn athrawes gynradd. Fe'i penodwyd i'w swydd gyntaf yn Ysgol Gynradd Gymraeg y Dderwen, Caerfyrddin. Yna, wedi cyfnod yn magu ei phlant, Mared a Siwan, fe'i penodwyd yn Athrawes Fro am gyfnod. Erbyn hyn, mae'n gweithio fel Athrawes Llais gyda Gwasanaeth Cerdd Sir Gâr ac yn hyfforddi nifer o unigolion a chorau ar draws y Sir. Hi yw arweinydd côr meibion Bois y Castell ers 1996 a chôr cerdd dant Lleisiau Tywi ers 2014. Mae'n enillydd cyson fel unawdydd gwerin a cherdd dant yn Eisteddfod yr Urdd, yr Eisteddfod Genedlaethol, yr ŵyl Cerdd Dant ac Eisteddfod Gerddorol Ryngwladol Llangollen. Bellach, mae'n hyfforddi a beirniadu'n rheolaidd yn y gwyliau cenedlaethol hynny yn hytrach na chystadlu'n unigol ei hun.

Dywedodd Nia:

Bu canu a cherddoriaeth yn rhan ganolog o fy mywyd erioed am wn i. Mae'n debyg mai rhyw dair oed oeddwn i pan genais ar lwyfan am y tro cyntaf erioed – nid bod gen i gof o hynny, wrth gwrs! Roedd canu a pherfformio yn rhywbeth oedd yn dod yn naturiol ac yn rhywbeth yr oeddwn i wrth fy modd yn ei wneud. Fel nifer o blant eraill, roedd y capel yn rhan ganolog o fywyd cymuned wledig a'r cyfleoedd yno i berfformio yn gosod sylfaen gadarn ac yn gyfle i fagu hyder heb bwysau cystadlu. Rhaid dweud fy mod yn fy elfen yn teithio o 'steddfod i 'steddfod bob penwythnos ar hyd a lled Cymru. Gwnes ffrindiau oes wrth wneud hynny

yn ogystal â dysgu colli ac ennill yn urddasol – elfen bwysig y byddaf yn ceisio'i throsglwyddo i'm disgyblion.

Y dylanwad mwyaf arnaf, yn sicr, oedd mam, sef Anwen Williams, sydd ei hun yn hyfforddwr a beirniad cenedlaethol cydnabyddedig. Hi oedd yn fy hyfforddi yn y dyddiau cynnar a hi fyddai'n fy nghludo o un eisteddfod i'r llall yn ddiflino. Heb ei hanogaeth a'i harweiniad hi, fyddwn i ddim wedi cyrraedd y pinaclau niferus sydd wedi rhoi cymaint o fwynhad i mi. Fodd bynnag, nid oeddem ein dwy yn cytuno bob tro!

Er imi fwynhau pob math o gerddoriaeth a chael cyfle i astudio'r llais yng Ngholeg Brenhinol Cerdd a Drama Caerdydd beth amser yn ôl, cerdd dant a chanu gwerin sydd yn mynd â'm bryd. Yn y ddau faes yma y ces i'r mwynhad a'r llwyddiant pennaf. Dw i wrth fy modd yn ymdrin â geiriau a barddoniaeth a dyma'r elfen bwysicaf yn y ddwy grefft, goelia i. Mae'n rhaid mynd o dan groen y geiriau a chanu o'r galon, gan drosglwyddo'r stori a'r neges i'r gynulleidfa, a gwneud hynny'n naturiol a didwyll.

O gystadlu'n flynyddol yn ein gwyliau cenedlaethol, yr uchafbwynt i Nia o safbwynt canu gwerin oedd cipio Gwobr Goffa Lady Herbert Lewis yn Eisteddfod Dyffryn Conwy 1989. Iddi hi, hwn oedd Rhuban Glas y canu gwerin a phinacl ei gyrfa fel cantores werin. Mae hi'n llawenhau bod statws y gystadleuaeth arbennig hon yn parhau hyd heddiw.

> Un ar hugain oed oeddwn i ar y pryd a newydd orffen fy nghyfnod yn y Brifysgol ym Mangor. Dw i'n cofio bod yn nerfus iawn gan na fûm yn canu ryw lawer yn ystod y flwyddyn honno oherwydd arholiadau gradd. Doedd y ffaith i mi gael cam gwag ar y llwyfan yn yr unawd cerdd dant agored ddiwrnod neu ddau ynghynt yn ddim help i'r nerfau chwaith. Ond dewisais ddwy gân yr oeddwn yn eu hoffi'n fawr, sef 'Adar Mân y Mynydd' ac 'Mae Robin yn Swil'. Er gwaetha'r nerfau, cefais fwynhad enfawr o'r profiad.

Roedd hi'n dipyn o wefr i Nia ennill y gystadleuaeth yn Eisteddfod Dyffryn Conwy a bydd yn dychwelyd yn frwdfrydig i Eisteddfod Sir Conwy yn 2019. Fe fydd yr eisteddfod hon yn dwyn llu o atgofion melys yn ôl iddi am wythnos arbennig iawn oherwydd enillodd nid yn unig brif wobr y canu gwerin ... ond Dyfrig, hefyd, sydd bellach yn ŵr iddi!

36. Delyth Medi

Cwm Rhymni: 1990

Caneuon: 'Merch Ifanc o'n Ben Bore' a 'Hela Llwynog'
Beirniaid: Frances Môn Jones, Meinir McDonald

Ganed Delyth Medi yn 1966 ac fe'i magwyd yn Llanbedr Pont Steffan, Ceredigion. Fe'i haddysgwyd yn Ysgol Gynradd Ffynnonbedr ac yna yn Ysgol Gyfun Llanbed. Yna aeth ymlaen i astudio cerddoriaeth yn y Brifysgol ym Mangor, gan ennill gradd anrhydedd B.Mus. Cafodd fwynhad o astudio ethnogerddoreg a thraddodiadau cerddorol Cymru. Yna, aeth ymlaen i astudio'r delyn yng Ngholeg Cerdd Frenhinol y Gogledd ym Manceinion, a chwrs ymarfer dysgu ym Mhrifysgol Aberystwyth. Priododd ag Iwan Lloyd, o Fforest-fach, Abertawe, a fu'n Bennaeth Cynorthwyol ac athro ffiseg yn Ysgol Gyfun Gymraeg Glan-taf. Dywed Delyth nad oedd gan Iwan fawr o ddiddordeb yn y byd canu a chanu gwerin cyn iddo gwrdd â hi! Bu Delyth yn addysgu ers bron i dri deg o flynyddoedd, ac yn bennaeth cerddoriaeth yn Ysgol Glan-taf, Caerdydd. Mae corau amrywiol ac ensemblau lleisiol ac offerynnol yr ysgol wedi mwynhau llwyddiant sylweddol o dan ei harweiniad, gan ennill droeon yn yr Eisteddfodau Cenedlaethol a'r Urdd.

Dywedodd Delyth:

> Mae fy nheulu ehangach yn parhau i fyw yn ardal Llambed – ardal Gymreig, agos-atoch a chymdeithas glòs iawn. Cefais fy magu yn nhraddodiad y capel, gan fynychu Soar, Capel yr Annibynwyr bob Sul gyda'm rhieni a'm brawd Dorian. Fy mam oedd organydd y capel ac

roedd yn medru darllen sol-ffa yn ardderchog! Y Gymanfa Ganu oedd yr achlysur pwysicaf yn y calendr.

Cefais hefyd fy magu i fyd eisteddfodol. Byddem yn teithio o 'steddfod i 'steddfod *bob* Sadwrn er pan oeddwn yn bedair oed – ar adegau byddwn yn cystadlu mewn dwy eisteddfod ar yr un diwrnod! Byddwn wrth fy modd yn cystadlu ar bopeth – o adrodd i ganu i chwarae'r piano cyn belled a bod yr oedran yn addas i mi. Dechreuais ganu gwerin pan oeddwn oddeutu saith oed. Bryd hynny, doedd canu gwerin ddim yn gystadleuaeth yn yr eisteddfodau bach yn aml pan ddechreuais ar y sîn eisteddfodol. Yn sicr, mae fy magwraeth wedi dylanwadu llawer arnaf.

Yn niwedd yr ugeinfed ganrif a hithau yn ei hugeiniau, bu Delyth yn aelod o'r grŵp Cwlwm, grŵp harmoni clòs oedd yn mwynhau canu ymhob genre. Un o'u harddulliau poblogaidd oedd canu gwerin a chanu'n ddigyfeiliant. Yn 1994, sefydlodd Gôr Merched Canna a bu'n arweinydd a chyfarwyddwr cerdd iddynt o'r dechrau. Yn 2005, cafodd Delyth y fraint o arwain y côr yn Stadiwm y Mileniwm cyn gêm rygbi Cymru yn erbyn Iwerddon pan enillodd Cymru'r gamp lawn! Enillodd y côr brif gystadleuaeth y corau merched yn yr Eisteddfod Genedlaethol saith gwaith ymysg nifer helaeth o wobrwyon amrywiol eraill. Un o'u pinaclau oedd cyrraedd y brig yng nghystadleuaeth y gân Gymraeg orau yn erbyn saith ar hugain o gorau eraill yn Eisteddfod Genedlaethol y Fenni 2016. Yn ogystal â hyn, enillodd y côr y gystadleuaeth i gorau cerdd dant a phrif wobr corau gwerin agored sawl gwaith yn yr ŵyl Cerdd Dant ac yn yr Eisteddfod Genedlaethol ac yn gyn-enillwyr y cwpan aur yng Ngŵyl Gerdd Verona ac yng Ngŵyl Gorawl Cheltenham.

Mae fy nghefndir gwerinol yn sicr wedi dylanwadu ar repertoire y Côr. Ceisiaf drosglwyddo fy niddordeb i eraill. Fel arfer, darn gosod unsain digyfeiliant, wrth gwrs, sydd i gystadleuaeth Côr Gwerin, ac yna trefniant o ddewis y Côr. Dewisais alawon megis 'Ffarwel i Ddociau Lerpwl' fel cyfle i greu sianti gerddorol gorawl. Dewisaf, hefyd, 'Y Deryn Pur' gyda'i alaw brydferth yn harmonïo'n effeithiol iawn, a 'Y Ferch o blwy' Penderyn' sy'n rhoi cyfle i greu naws amrywiol o bennill i bennill. Yn fy marn i, yr unig beth sy'n hanfodol mewn trefniant gwerin llwyddiannus yw parchu'r brif alaw heb fyth ei chymylu.

Llwyddodd Delyth i gyrraedd y brig mewn amrediad o gystadlaethau cenedlaethol fel cantores werin, cerdd dant, unawdydd clasurol, a thelynores. Enillodd yn genedlaethol am y tro cyntaf yn Eisteddfod yr Urdd Llanelli yn 1975 pan oedd yn naw oed. Y darn gosod oedd 'Bachgen Bach o Dincer'. Enillodd, hefyd, y brif gystadleuaeth werin yn Eisteddfod Gerddorol Ryngwladol Llangollen pan ddewisodd ganu un o'i hoff alawon, sef 'Tiwn sol-ffa'.

Fy athrawes ganu a chanu gwerin pan oeddwn yn ifanc ac wrth imi baratoi ar gyfer Gwobr Goffa Lady Herbert Lewis oedd Ray Morgan, Cwmann. Hi oedd arweinydd Côr Brethyn Cartref ac roedd ganddi nifer helaeth o ddisgyblion. Byddai'n pwysleisio'r defnydd o'r wyneb a dweud stori yn y dull mwyaf naturiol â phosib gan amrywio tempo a deinameg yn ôl gofynion y geiriau. Byddai'n pwysleisio hefyd, mai'r gamp oedd peidio â gwneud unrhyw amrywiad yn amlwg ond mwynhau dilyn eich mympwy eich hun a'ch ymdeimlad chi at y gân ar y pryd.

Fy rhestr fer o'm ffefrynnau yw:

'Torth o Fara, gyda'i helfen o ddweud stori gyda chytgan bachog ar ddiwedd pob llinell. Ceir her o gynnal diddordeb mewn cân gymharol hir a'r her i gyflwyno elfen newydd ymhob pennill;

'Cwyn Mam yng Nghyfraith': alaw ddiddorol sy'n newid cywair, ac sy'n oriog o ran siâp llinellau. Mae'n llawn hwyl a hiwmor ynghyd â chwlwm tafod o gytgan sy'n creu ysgafnder oedd yn gweddu i'm llais;

'Lleuen Landeg': cân gyflym, hwyliog a doniol ac iddi deitl od a stori dda sy'n diddori'r gynulleidfa. Mae'n cynnig cyfle i actio naturiol ond rhaid osgoi'r demtasiwn i or-actio;

'Mynwent Eglwys': alaw lân, sy'n cynnig cyfle i arddangos clirder sain ac awyrgylch wrthgyferbyniol sy'n unol â gofynion y gystadleuaeth;

'Y Deryn Du a'i Blufyn Sidan': alaw ganadwy, gydag elfen onglog ac ambell naid hyfryd *a* geiriau hen benillion apelgar iawn

'Tiwn Sol-ffa', sy'n wahanol i bob cân werin arall ac iddi gytgan afaelgar, heriol a chyfle i amrywio'r llais sy'n ychwanegu at fwynhad y gynulleidfa o glywed y sol-ffa traddodiadol.

Cofiaf yn glir y cyffro o ennill y gystadleuaeth gyntaf yn 1990. Cofiaf hefyd y wefr o gael fy nerbyn – mewn gwisg las – yn aelod anrhydeddus o Orsedd y Beirdd am ennill un o brif wobrau'r Eisteddfod

Genedlaethol. Nid anghofiaf chwaith gyrraedd adre yn Stryd y Bont, Llanbedr Pont Steffan, a gweld y fflagiau i'm croesawu adre'n ôl wedi'r gamp!

Yn sicr, mae lle i ganu gwerin ar lwyfannau ein gwyliau cerddorol. Hon yw'r ffordd i'r alawon gael eu clywed a'u trosglwyddo i'r genhedlaeth nesaf yn enwedig mewn cystadleuaeth a chaneuon hunanddewisol. Fel hyn, byddwn yn rhannu'r hanesion a'r traddodiad sydd ynghlwm â'r alawon yn ddiarwybod, yn enwedig pen a baent yn ddarnau gosod. Rhaid wrth eu perfformio yn hytrach na'u cadw mewn llyfrau.

Wrth gwrs, mae'r Tŷ Gwerin yn wych ac o'r herwydd mae ein bandiau gwerin ifanc wedi blodeuo! Hir y parhao! Does dim gwell na pherfformio'r alawon yn ogystal â'u clywed. Mae eisteddfodau a gwyliau lleol a chenedlaethol yn rhoi llwyfan i'r alawon hyn a chyfle i berfformwyr ifanc eu dehongli drwy ychwanegu blas eu personoliaeth nhw iddynt o dro i dro.

Erbyn hyn, mae Delyth yn beirniadu'n genedlaethol yn y byd gwerin, clasurol a cherdd dant, yn eisteddfodau Rhys Thomas James Pantyfedwen ac eisteddfodau gwledig llai. Bydd bob amser yn chwilio am naturioldeb mewn canwr gwerin.

> Er fy niddordeb ym meysydd amrywiol cerddoriaeth, fy mhrif ddiddordeb yw canu gwerin. Rwy'n mwynhau'r elfen gref o annibyniaeth a'r cyfle i ganwr roi ei stamp ei hun ar alaw ac ar eiriau i greu naws – hiwmor, hwyl neu hiraeth. Hoffaf y rhyddid i gantor gyfathrebu a chyflwyno cân yn ôl ei fympwy a'i deimladau ei hun ar y pryd. Hoffaf hefyd y rhyddid o fedru canu alaw mewn ffyrdd gwahanol am nad oes cyfyngiad cyfeiliant i gadw'r tempo yn rhy dynn.

37. Helen Medi

Bro Delyn: 1991

Caneuon: 'Twll Bach y Clo' ac 'Adar Mân y Mynydd'
Beirniaid: Dafydd Idris ac Olwen Jones

Ganed Helen yn 1968 ac fe'i magwyd hi a'i brawd (y cantor, John Eifion), yng Ngarndolbenmaen, yng nghalon Eifionydd, ar fferm Hendre Cennin, ar gyrion 'Y Lôn Goed'. Roedd hon yn aelwyd gerddorol iawn; bu'r fam a'r tad yn cystadlu ar gerdd dant a chanu gwerin a buont hwythau hefyd yn enillwyr cenedlaethol. Yn ystod yr wyth degau, bu 'Teulu Hendre Cennin' yn brysur iawn yn teithio i bentrefi a chymdeithasau ledled Cymru i gadw nosweithiau llawen. Bu Helen yn cystadlu'n unigol, mewn deuawdau a thriawdau gyda'i brawd a'i chwiorydd er pan oedd yn ifanc iawn. Buont yn cefnogi eisteddfodau lleol a'r prif wyliau cenedlaethol yn rheolaidd. Daeth y dylanwad cynnar o ochr ei thaid, sef Edwin Roberts, Fedw, Ysbyty Ifan, a oedd yn ddatgeinydd hynod lwyddiannus yn ei ddydd. Ei mam, Ann Pierce Jones, oedd yn ei dysgu ar yr aelwyd gartref. Tyfodd diddordeb Helen mewn canu gwerin wrth iddi lwyddo yn Eisteddfod Gerddorol Ryngwladol Llangollen a'r Eisteddfod Genedlaethol. Derbyniodd ei haddysg yn Ysgol Gynradd Llangybi, Ysgol Uwchradd Dyffryn Nantlle, ac yna yn Athrofa'r Coleg Normal ym Mangor. Cychwynnodd ei gyrfa fel athrawes yn Ysgol Edmwnd Prys, Gellilydan. Bu'n athrawes yn Ysgol Gynradd Capel Bangor ac yna yn Ysgol Rhydypennau ble mae'n parhau i weithio hyd heddiw. Priododd â Clive

Williams yn 1993 ac ymgartrefu yn Rhydyfelin, ger Aberystwyth, gyda'i dwy ferch Beca a Cadi.

Dywedodd Helen:

Does gen i fawr o gof o ragbrawf cystadleuaeth Gwobr Goffa Lady Herbert Lewis yn Eisteddfod Genedlaethol Bro Delyn, 1991. Rhaid cofio fod wyth mlynedd ar hugain wedi gwibio heibio, amser go hir i gofio manylion! Fodd bynnag, cofiaf yn glir fod y gystadleuaeth ar y llwyfan ar y nos Sadwrn bryd hynny. Roeddwn yn ffodus o gyrraedd y llwyfan ar yr unawd cerdd dant agored hefyd. A minnau'n ferch 23 oed, roeddwn yn awyddus iawn i ganu, derbyn y dyfarniad a'i heglu wedyn i gwrdd â'm ffrindiau coleg yn y dre. Hon oedd yr oes cyn dyfodiad y ffonau symudol pan oeddem yn gorfod trefnu amser i gyfarfod ymlaen llaw.

Fe ddaeth ennill Gwobr Goffa Lady Herbert Lewis a'r brif gystadleuaeth cerdd dant yn *dipyn* o sioc imi. Cofiaf gerdded oddi ar y llwyfan yn sidêt i arwyddo am y tlws, a gweld mam yn rhedeg i lawr o'r gynulleidfa i'm llongyfarch! Un o'r pleserau mwyaf o gyrraedd y brig oedd cael fy urddo'n aelod anrhydeddus o Orsedd y Beirdd yn sgil fy llwyddiant.

Rhoddodd ennill y cystadlaethau hyder i Helen fynd ati i ddechrau hyfforddi ar ei haelwyd ei hun yn Rhydyfelin wedi i Beca a Cadi gyrraedd oed cystadlu. Cafodd y ddwy gryn lwyddiant ar ganu gwerin yn Eisteddfod yr Urdd, yr ŵyl Cerdd Dant a'r Eisteddfod Genedlaethol, sy'n llonni calon Helen. Mae Beca a Cadi hefyd yn dweud mai wrth ganu gwerin maen nhw'n teimlo fwyaf cyffyrddus yn cystadlu a pherfformio. Fel mam, mae Helen yn ymfalchïo yn hynny fel yr oedd ei mam hithau'n llawenhau yn ei llwyddiant hi.

Un o'r pethau gorau ynghylch ganu gwerin ydy nad oes rhaid cadw'n gaeth at rythmau a bod mwy o gyfle i ddehongli caneuon drwy roi'ch stamp eich hun arnyn nhw. Mae canu gwerin felly'n cynnig mwy o ryddid yn hyn o beth na chanu clasurol a cherdd dant. Fodd bynnag, mae angen cyfleu'r stori'r gân yn glir i'r gynulleidfa. Yn fy marn i, cyflwyno naturiol yw'r allwedd i lwyddo mewn canu gwerin. Canu heb or-wneud!

Y dyddiau hyn, mae Helen yn mwynhau clywed trefniannau

gwahanol i alawon gwerin gan grwpiau megis Calan. Iddi hi, maen nhw'n dod â ffresni i'r alawon gwerin traddodiadol a thrwy hynny'n eu cadw'n fyw. Mae'r newydd-deb hefyd yn denu cynulleidfa ehangach yn hytrach na chyfyngu canu gwerin i lwyfannau ein heisteddfodau. Heb os nac oni bai bu ennill y wobr hon yn gyfle gwych i Helen barhau'r etifeddiaeth deuluol o ganu gwerin. Mae hi wrth ei bodd bod ei dwy ferch yn llwyddo yn y maes ac felly'n cadw'r traddodiad yn fyw. Hir oes i'r wobr arbennig hon!

38. Delyth Medi

Ceredigion, Aberystwyth: 1992

Caneuon: 'Mynwent Eglwys' a 'Cwyn Mam yng Nghyfraith'
Beirniaid: Morfudd Maesaleg, Wyn Thomas
(gweler 36, tudalen 107)

39. Rhian Williams

De Powys, Llanelwedd: 1993

Caneuon: 'Deffrown, deffrown' a 'Tiwn Sol-ffa'
Beirniaid: Dafydd Idris a Joan Wyn Hughes

Ganed Rhian yng Nghaerfyrddin yn 1970. Dwy ar hugain oed oedd hi pan enillodd Wobr Goffa Lady Herbert Lewis. Rhoddodd ei rhieni hi ar ben ffordd yn gynnar drwy fod yn gefnogol tu hwnt i'w gyrfa ganu a chystadlu. Mae'n rhoi teyrnged iddynt am ei hebrwng i wersi ac i gystadlu mewn eisteddfodau bach a mawr mor aml a thros gyfnod mor hir. Roedd cystadlu mewn eisteddfodau, felly, yn ail natur iddi pan oedd yn ifanc iawn. Derbyniodd ei haddysg gynradd yn Ysgol y Dderwen ac yna yn Ysgol Gyfun Bro Myrddin, Caerfyrddin. Rhoes deyrnged hefyd i'w hathrawon brwdfrydig, gweithgar a gafodd gymaint o ddylanwad arni.

Dywed Rhian:

Er na chawsai fy rhieni addysg gerddorol ffurfiol, roedd ganddynt ddiddordeb enfawr mewn cerddoriaeth, yn enwedig mewn canu. Mae eu diddordeb yn parhau. Fe'm hyfforddwyd gan Meinir Lloyd, athrawes eithriadol a'm hysbrydolodd o'r cychwyn cyntaf. Cefais gyfle i ddangos fy ngwerthfawrogiad iddi yn Eisteddfod Caerdydd, 2018, drwy ei henwebu am fedal Syr T. H. Parry-Williams. Dechreuais wersi canu cyffredinol pan oeddwn i'n chwech oed. Enillais am y tro cyntaf yn Eisteddfod yr Urdd, Llanelwedd, 1978, ar yr unawd dan 9 pan genais

'Dail yr Hydref'. Dilynwyd hyn gan nifer o wobrau yn Eisteddfodau'r Urdd dros y blynyddoedd. Bu Meinir yn fy hyfforddi i ganu unawdau ac mewn deuawdau, pedwarawdau, partïon a chorau. Roedd yr amrywiaeth o gerddoriaeth a ddysgais yn eang o pan oeddwn yn chwech oed hyd at oed yr adeg yr euthum i'r coleg. Bûm yn ffodus, hefyd, o fod wedi mynychu Capel y Bedyddwyr, y Tabernacl, Caerfyrddin gydam teulu er pan oeddwn yn ifanc iawn. Roedd Ysgol Sul gref yno a chynhaliwyd gwasanaeth plant unwaith y mis a chyfle i gymryd rhan yn gyhoeddus yn rheolaidd.

Mae'n debyg mai yma y rhoddais fy mherfformiad cyhoeddus cyntaf. Un tro, sylwodd y gweinidog fy mod yn anniddig ac fe'm galwodd ymlaen i ganu. Nid anghofiodd fy rhieni'r achlysur fyth! Bûm yn hynod ffodus, felly, o fod yn rhan o gymdeithas lle'r oedd cyfleoedd i berfformio rif y gwlith. Diolchaf iddynt oll am eu dylanwad hynod bositif arnaf.

Does gen i ddim cof o'r paratoi, y rhagbrawf na bod ar y llwyfan chwaith ar gyfer cystadleuaeth Gwobr Goffa Lady Herbert Lewis ond hon oedd y 'wobr fawr' gyntaf i mi ei hennill yn yr Eisteddfod

Genedlaethol. Bu'n sbardun ardderchog ar gyfer ennill gwobr T. Osborne Roberts y flwyddyn ganlynol yn 1994 ac eto yn 1997. Cofiaf i'm llwyddiant arwain at wahoddiad i ymddangos mewn cyngerdd nos yn yr Eisteddfod Genedlaethol y flwyddyn ganlynol i ganu alawon gwerin o gasgliad penodol. Yna yn 1994, fe'm derbyniwyd yn aelod anrhydeddus o Orsedd y Beirdd mewn gwisg werdd.

Bu J. Eirian Jones, Cwmann, hefyd yn ddylanwad mawr ar Rhian. Hi, drwy wersi wythnosol drwy gydol ei hamser yn yr ysgol a'r coleg, fu'n ei hyfforddi i ganu mewn arddull 'glasurol' a gwerinol. Yn aml, roedd y caneuon yn destunau gosod. Pan gafwyd dewis, byddai Rhian wrth ei bodd yn canu alawon lleddf. Roedd 'Deffrown, deffrown' yn ffefryn arbennig ganddi.

Erbyn imi gyrraedd fy ugeiniau, ar ôl blynyddoedd o hyfforddiant unigol a phrofiad helaeth o ganu mewn partïon a chorau, datblygodd fy arddull berfformio'n naturiol drwy i mi allu elwa ar yr hyfforddiant a gawswn a thrwy wrando ar gystadleuwyr eraill. Tyfodd fy *repertoire* gwerin yn ddiarwybod i mi rywfodd. Pwysleisiwyd ar dechnegau megis geirio clir, brawddegu, anadlu, lliwio, gwrando, cadw traw a dweud stori. Wrth i'r llais ddatblygu, derbyniais hyfforddiant mwy ffurfiol a chwblhau arholiadau canu dan arweiniad celfydd J. Eirian Jones. Bu techneg yn rhan hanfodol wrth i'm llais ddatblygu'n fwy clasurol.

Mae Rhian yn bendant fod lle i ganu gwerin ar lwyfannau eisteddfodau fel modd i ddysgu perfformio a chyfleu neges i gynulleidfa ehangach. Mae hefyd yn ffordd o ddysgu caneuon Cymraeg blant ifanc iawn. Mae profiad Rhian yn dyst fod canu gwerin yn gallu cynnig cyfle i gantorion naill ai aros yn y maes neu fentro i faes cerddorol arall yn ôl datblygiad naturiol y llais.

Felly, 1993 oedd y tro olaf imi gystadlu ar yr alaw werin cyn troi fy ngolygon at gerddoriaeth glasurol o ran cystadlu o hynny mlaen.

40. Arfon Williams

Nedd a'r Cyffiniau: 1994

Caneuon: 'Trafaeliais y Byd' a 'Mari'r Glwyseg'
Beirniaid: Rhidian Griffiths a Leah Owen

Ganwyd Arfon yn 1970, ac fe'i magwyd ar fferm y teulu, sef Pentre, Cwmtirmynach, ger y Bala. Ffarmwr ydyw wrth ei alwedigaeth ac wedi byw'r rhan fwyaf o'i oes mewn ardal wledig, ddiwylliedig sy'n gosod sylfaen gadarn i ieuenctid y fro. Ffarm fynyddig yw fferm Pentre, yn cadw buches bedigri o Wartheg Duon Cymreig, diadell o ddefaid mynydd Cymreig a diadell fechan o ddefaid Llanwenog. Mae ganddynt gryn ddiddordeb mewn arddangos mewn gwahanol sioeau. Mae'n amlwg fod

cystadlu yn y gwaed! Bu Arfon yn cystadlu ar ganu gwerin yn gyson mewn eisteddfodau bach a mawr er pan oedd yn ifanc iawn, gan ennill cryn brofiad a hyder. Erbyn hyn, mae Arfon yn wyneb adnabyddus yn sylwebu ar y teledu yn ogystal â diddori'r genedl ar lwyfannau cenedlaethol.

Dywedodd Arfon:

> Enillais sawl gwobr genedlaethol ar hyd y blynyddoedd. Mewn ffordd, cyrhaeddodd fy ngyrfa gystadleuol ei phinacl yn 1994 pan oeddwn yn 24 oed. Bryd hynny, enillais yr unawd cerdd dant dan 25 oed yn Eisteddfod yr Urdd yn Nolgellau ynghyd ag ysgoloriaeth.

Yn ogystal ag ennill Gwobr Goffa Lady Herbert Lewis, yn Eisteddfod Genedlaethol Nedd a'r Cyffiniau, enillodd Arfon yr unawd cerdd dant agored yn yr ŵyl Cerdd Dant, Llangefni, a'r unawd cerdd dant yn Eisteddfod Genedlaethol y Ffermwyr Ifanc.

Yn anffodus, cymylodd niwl y blynyddoedd holl fanylion y gystadleuaeth yn Eisteddfod Nedd a'r Cyffiniau, ond mae'r wefr o ennill wedi parhau gyda mi hyd heddiw! Rhaid cyfadde' mai cerdd dant oedd fy mlaenoriaeth o ran cystadlu ar hyd y blynyddoedd. Eto, roedd canu gwerin yn mynd law yn llaw gyda'r arddull naturiol storïol sy'n perthyn i'r ddwy arddull. Credaf mai unwaith yn unig y bûm yn cystadlu ar y gystadleuaeth hon cyn '94 a hynny'r flwyddyn flaenorol yn Llanelwedd. Felly, dyma benderfynu mynd amdani yn Eisteddfod Nedd a'r Cyffiniau i gystadlu ar brif wobrau Cerdd Dant a Gwobr Goffa Lady Herbert Lewis! Rhaid imi fynegi fy ngwerthfawrogiad llwyr i Beti Puw Richards a'i hamynedd a'i dyfalbarhad ar hyd y blynyddoedd. Hi oedd yn gosod imi ac yn fy hyfforddi'n ddiflino. Oni bai am ei dygnwch hi, ni fuaswn yn llunio'r pwt hwn o lith!

Enillais yr unawd cerdd dant ar ddydd Iau'r Eisteddfod drwy ganu geiriau 'Bugeilio'r Gwenith Gwyn' fel cerdd dant. Dyma arwydd bod y ddwy grefft yn asio'n rhwydd i'w gilydd. Dyna'r ail dro imi ennill y gystadleuaeth honno ar ôl ennill yn Aberystwyth yn 1992. Dyma oedd diwedd y cystadlu i mi gan mai dwywaith yn unig y gellid bod yn fuddugol nes i'r rheol gael ei newid yn ddiweddar iawn.

Dydd Sadwrn oedd diwrnod prif gystadleuaeth y gân werin gyda'r rhagbrawf mewn capel yng Nghastell Nedd. Y ddwy gân a ddewisais oedd y gân hiraethus 'Trafaeliais y Byd' a 'Mari'r Glwyseg', un o ganeuon Bob Roberts, Tai'r Felin. Roedd hyn yn bwysig i mi gan fod y fferm Tai'r Felin gwta dair milltir o'm cartref. Bu Bob yn aelod ac yn arweinydd y gân yng Nghapel Cwmtirmynach, yn union fel yr oeddwn innau. Er na chefais y pleser o'i gyfarfod erioed, roedd yn dipyn o arwr i mi. Cefais lwyfan! Einir o Bentreucha ac Ina o ardal Llanymddyfri oedd y ddwy arall. Roedd yn gystadleuaeth gref efo dwy gantores brofiadol a dawnus yn cystadlu. Bryd hynny, roedd y gystadleuaeth ar y nos Sadwrn yng nghanol rhialtwch a bwrlwm prif gystadlaethau'r ŵyl, gan gynnwys y Rhuban Glas. Mi aeth yn syndod o dda a minnau'n bur fodlon ar fy mherfformiad! Ond wir, cefais wefr pan gyhoeddwyd mai fi oedd wedi ennill.

Mae Arfon yn llawenhau yn natblygiad y Tŷ Gwerin fel platfform cadarn arall i ganu gwerin, gan gynnwys rhi cyfleoedd i grwpiau gwerin talentog. Eto, er ei lawenydd, mae Arfon yn pwysleisio bod angen cadw'r gân werin yn ei ffurf wreiddiol fel y'i clywir ar lwyfan ein Prifwyl. Yno y ceir y gân werin yn ei ffurf bur, fwyaf traddodiadol yn nwylo ein cantorion dawnus. Hir y parhaed hynny gan gadw ein caneuon gwerin yn ddiogel i'r oesoedd a ddêl.

41. Caryl Ebenezer

Bro Colwyn: 1995

Caneuon: 'Yr Eneth Glaf' a 'Cwyn Mam yng Nghyfraith'
Beirniaid: Buddug Lloyd Roberts a Morfudd Maesaleg

Ganed Caryl yn 1974 ac fe'i magwyd yn Bow Street ger Aberystwyth. Ers yn ifanc, bu'n canu ar lwyfannau eisteddfodau, yn unigol ac yn ddeuawd gyda'i chwaer Anwen. Bu ei mam, Mary, a'i thad, Howell, yn ddylanwad mawr ar y ddwy drwy eu hebrwng i gystadlu mewn eisteddfodau lleol a chenedlaethol bob penwythnos. Enillodd Caryl ei gwobr werin arwyddocaol gyntaf yng nghystadleuaeth yr unawd alaw werin dan 12 oed yn yr ŵyl Cerdd Dant yn Aberystwyth yn 1983. Bryd hynny, fe ganodd 'Os gwelwch chi'n dda, ga' i Grempog?' Bu Caryl yn ddisgybl yn Ysgol Gynradd Rhydypennau, Bow Street, ac yn Ysgol Gyfun Penweddig, Aberystwyth. Cafodd lu o gyfleoedd i fagu profiad a datblygu ei diddordeb cerddorol yn y ddwy ysgol. Yna graddiodd gyda gradd dosbarth cyntaf mewn cerddoriaeth yn y Brifysgol ym Mangor. Yn dilyn hynny, ymunodd â chwmni teledu annibynnol *Opus* (*Rondo Media* erbyn hyn) yng Nghaerdydd. Fe'i dyrchafwyd yn Gynhyrchydd/Cyfarwyddwr i fod yn gyfrifol yn bennaf am raglenni dogfen rhyngwladol a rhaglenni cerddorol.

Dywed Caryl:

> Yn ogystal â'm rhieni a'm teulu, bu Bethan Jones, gwraig Eddie Jones, fy mhrifathro yn Ysgol Rhydypennau, yn ddylanwad mawr arna' i. Bu Bethan yn ysbrydoliaeth, ac yn wych yn dehongli caneuon alawon gwerin a gosodiadau cerdd dant. Nod bwysicaf y ddwy ohonom bob amser oedd sicrhau arddull naturiol. Fe dreuliais i a'm chwaer oriau

hapus wrth y piano yn ystafell ffrynt Bethan ac Eddie yn canu, trafod a chwerthin. Mae Bethan yn wraig gerddorol a hynod o ddiymhongar. Bydd bob amser yn gweithio'n dawel a chaled yn y cefndir. Mae ein dyled yn fawr iddi oherwydd bu hefyd yn gymorth mawr i ni pan gollon ni ein mam ym 1991. Ymhlith y dylanwadau eraill, hoffwn enwi J. Eirian Jones, f'athrawes gerdd ym Mhenweddig; Bethan Bryn, ein gosodwr cerdd dant; Merêd, Rhidian Griffiths, a

Wyn Thomas a Stephen Rees, sef darlithwyr yn y Brifysgol ym Mangor.

Enillais ar yr unawd alaw werin dan 21 oed yn Eisteddfod Genedlaethol Aberystwyth ym 1992 ac eto yn 1994. Yna enillais gystadleuaeth yr alaw werin agored yn Eisteddfod Gerddorol Ryngwladol Llangollen. Y flwyddyn ganlynol, penderfynais gystadlu am Wobr Goffa Lady Herbert Lewis yn Eisteddfod Dyffryn Conwy. Cofiaf y cyffro wrth baratoi at y gystadleuaeth. Cofiaf drin a thrafod gyda Bethan Jones pa ganeuon y dylwn eu dewis. Roeddwn yn hoff iawn o'r alaw 'Cwyn Mam yng Nghyfraith, gan ei bod yn fywiog a direidus, a phenderfynu y byddai 'Yr Eneth Glaf' yn ddewis cyferbyniol da. Fe ddaeth y teulu o Bow Street a Llambed i'r Eisteddfod i'm cefnogi. Cofiaf deimlo'n hynod o nerfus a chofio sylwi, hefyd, fod y pafiliwn yn llawn dop ar gyfer y prawf terfynol. Bryd hynny, cynhaliwyd y gystadleuaeth hon ar nos Sadwrn olaf yr Eisteddfod, yr un pryd â chystadleuaeth y Rhuban Glas, uchafbwynt yr wythnos i nifer o Eisteddfodwyr. Os cofiaf yn iawn, y soprano Shân Cothi a enillodd y Rhuban Glas y noson honno, merch arall o Orllewin Cymru.

Roedd y gystadleuaeth am Wobr Goffa Lady Herbert Lewis yn safonol. Cofiaf deimlo'r fraint o fod wedi llwyddo i gyrraedd y llwyfan. Pan glywais fy mod wedi ennill, teimlais gymysgedd o donnau o hapusrwydd a thristwch gan nad oedd mam yno i rannu'r profiad gyda fi. Byddai hi wedi bod mor falch. Cefais fy synnu o dderbyn cynifer o gardiau a galwadau ffôn yn fy llongyfarch ar ôl y gystadleuaeth. Ni sylweddolais am gryn amser bod hyn yn arwydd o'r parch sydd gennym fel Cymry tuag at y gystadleuaeth hon.

Mae Caryl yn llawenhau o weld cynifer o'r to ifanc yn mwynhau'r grefft o ganu gwerin ar ein llwyfannau cenedlaethol ac yn awyrgylch llai ffurfiol y Tŷ Gwerin ar faes yr Eisteddfod. Er mwyn hybu parhad y traddodiad, bydd Caryl yn hyfforddi criw o ferched ifanc yng Nghaerdydd, gan gynnwys ei merch ei hun. Enillon nhw gystadleuaeth y Parti Unsain i Adrannau yn Eisteddfod yr Urdd Caerffili, 2015. Maent wedi mwynhau ymddangos ar lwyfannau cenedlaethol droeon ers hynny ac yn awyddus i ymwneud â chanu gwerin a cherdd dant i'r dyfodol.

> Trwyddynt hwy, gwnaf finnau gyfraniad fel y cadwer i'r oesoedd a ddêl y glendid a fu.
>
> Ie, a bydde fy mam mor falch.

42. Einir Owena Humphreys

Bro Dinefwr: 1996

Caneuon: 'Mae Robin yn Swil' a 'Hiraeth'
Beirniaid: Siân James a Delyth Medi

Ganed Einir yn 1972 ac fe'i magwyd ym Mhant yr Hwch, Pentreuchaf, ger Pwllheli, ym Mhen Llŷn. Mae'n parhau i fyw ar dir cartref ei mebyd mewn ardal wledig Gymreig. Priododd Edwin Humphreys yn 2002 gan gadw 'Humphreys' felly, ei chyfenw gwreiddiol! Mae ganddynt dri o blant, sef Ceiri, Lleu a Nyfain. Mae'n athrawes yn Ysgol Gynradd Pentre-uchaf, o fewn tafliad carreg i'w chartref, yr union ysgol lle cafodd hi ei hun ei haddysg gynnar. Ie, merch ei chynefin, a'i milltir sgwâr, yn wir.

Dywed Einir:

Yn yr ardal yma, gydag anogaeth fy rhieni a'r gymdeithas leol, bu cerddoriaeth yn ganolog iawn yn fy mywyd i o'r cychwyn cyntaf. Er pan oeddwn yn blentyn ifanc iawn, bûm yn cymryd rhan mewn eisteddfodau bach lleol, perfformio yn y capel a'r Ysgol Sul ac ar lwyfannau cyngherddau amrywiol. Cefais sylfaen gerddorol ardderchog yn Ysgol Glan y Môr dan arweiniad medrus Nan Elis. Melys yw'r atgofion o fod yn aelod o'i Chôr, Côr Penyberth ac, yn ddiweddarach, yn aelod o Barti Cymerau. Dysgodd Nan i mi hoffi a gweld gwerth geiriau drwy ei gosodiadau cywrain a'i threfniannau hynod.

Bûm wedyn yn unawdydd cerdd dant a chanu gwerin dan arweiniad Einir Wyn Jones. Derbyniais wersi cyson ganddi yn ei bwthyn bach yn Llan Ffestiniog. Mwynheais gystadlu mewn eisteddfodau lleol a chenedlaethol dan ei hadain a dysgodd hithau i mi am bwysigrwydd naturioldeb a rhoi gwerth a stori yn y geiriau.

Enillodd Einir gystadleuaeth yr alaw werin dan un ar hugain mlwydd oed yn Eisteddfod Bro Delyn yn 1991. Yna, fe benderfynodd gystadlu am Wobr Goffa Lady Herbert Lewis. Y tro cyntaf iddi fentro derbyniodd y drydedd wobr yn Eisteddfod De Powys, yn 1993. Fodd bynnag, yn 1996 yn Eisteddfod Bro Dinefwr, fe enillodd y wobr gyntaf.

Cofiaf fod degau'n cystadlu a'n bod yn picio o'r rhagbrawf yn y capel i'r dafarn drws nesa' wrth aros am y canlyniad. O'r diwedd, cyhoeddwyd enwau'r tair a fyddai'n ymddangos ar y llwyfan, sef Ffion Orwig, Elen Rhys a minnau. Y ddau ddarn cyferbyniol a ddewisais oedd 'Mae Robin yn Swil' a 'Hiraeth' (a oedd, heb os nac oni bai, yn un o'm hoff ganeuon o ran alaw a geiriau.

Siân James a Delyth Medi oedd yn beirniadu y tro hwn. Braint arall oedd i un o'm harwresau cenedlaethol gredu fy mod yn haeddu'r wobr gyntaf. Yn fy marn i, does neb tebyg i Siân James am gyflwyno ein caneuon gwerin. Gall roi cymaint o angerdd yn ei chanu, yn lleddf neu'n hwyliog. Mae ganddi'r ddawn i wir fynd dan groen ein caneuon gwerin gorau.

Nid anghofiaf fyth mo'm siom fel geneth ifanc lawn hwyl y noson honno am nad oedd y gystadleuaeth ymlaen yn gynt a hithau'n nos Sadwrn olaf yr eisteddfod er mwyn i ni gael dathlu yn ein ffordd arferol! Erbyn hyn, symudwyd y brif gystadleuaeth hon yn gynt yn y dydd. Serch hynny, braf oedd derbyn y clod a'r mawl, gan ddathlu yng nghefn y llwyfan gyda Rhys Meirion a dderbyniodd y Rhuban Glas y noson honno. Ffwrdd â mi wedyn yn fân ac yn fuan i Landeilo at fy nghariad oedd yn y dafarn gyda'i gydaelodau o fand 'Bob Delyn a'r Ebillion'. Gwagiodd botel o'r siampên gorau imi a bu dathlu bythgofiadwy tan oriau mân y bore yng Ngwesty'r Crosshands!

Rhoddodd y llwyddiant hwnnw hyder i Einir barhau i ganu, cystadlu a pherfformio. Cafodd gyfle i ymaelodi â band Bob Delyn y flwyddyn ganlynol a chymryd rhan yng Ngŵyl Werin Lorient, Llydaw. O'r herwydd, gorfu iddi ohirio ei hanrhydeddu fel aelod o Orsedd y Beirdd yn ei gwisg werdd yn Eisteddfod Genedlaethol Bro Ogwr yn 1998.

43. Elen Rhys

Y Bala: 1997

Caneuon: 'Ar Fore Dydd Nadolig' a 'Merch ei Mam'
Beirniaid: Anita Williams a Jennifer Clarke

Ganed Elen yn 1968 ac fe'i magwyd ar fferm Esgairmaen yn Llawr-y-glyn ym Maldwyn. Daeth y diddordeb mewn cystadlu eisteddfodol o ochr ei mam, Llinos Rees (Ellis) o Berth Fawr, Dolanog. Roedd cymryd rhan yn y Pethe ac eisteddfodau lleol a chenedlaethol yn elfen hanfodol o'i magwraeth. Bu'n ddisgybl yn Ysgol Gynradd Trefeglwys ac Ysgol Uwchradd Llanidloes.

Dywedodd Elen:

Cefais fy nylanwadu'n gryf gan fy mam. Hi aeth â fi a'm dwy chwaer, Blodwen ac Anwen, o eisteddfod i eisteddfod bob dydd Sadwrn i

gystadlu mewn amrywiol gystadlaethau ar hyd a lled Cymru. Yn wir, ychydig a wyddai fy nhad pa mor bell roeddem yn mentro mynd i gystadlu! Bu Mudiad y Ffermwyr Ifanc hefyd yn allweddol yn natblygiad fy hyder ar lwyfan ac rwy'n ddiolchgar am bob cyfle. Ni chefais fy hyfforddi i ganu gwerin fel y cyfryw ond roedd dylanwad y diweddar Elfed Lewys wedi creu argraff arnaf. Roedd ef, wrth gwrs, wedi ennill gwobr Lady Herbert ddwywaith ei hun. Byddai'n pwysleisio'r angen am naturioldeb a hwyl yn y datganiad. Ei fantra oedd:

- Canolbwyntia ar **y galon, y stori a'r neges**
- **Cana** o reddf, a chana'n fwriadus i'r alaw
- Canu cap stabl bob tro yn hytrach na chanu'n rhy ffurfiol a chlasurol.

Byddai Elfed yn picio draw i fy nghartre'n ddirybudd i wrando arnaf yn canu. Byddai bob amser yn hwyliog ond eto'n deyrn wrth fy rhoi ar ben ffordd – yn sicrhau bod y datganiad wastad yn anffurfiol a naturiol. Roedd yn well gen i ddewis caneuon dramatig, anarferol oedd yn cynnig cyfle i gymeriadu ac adrodd stori dda. Roedd felly'n gyfle hefyd i mi osod fy stamp fy hun ar berfformiad. Bu'r diweddar Merêd hefyd yn ddylanwad mawr arnaf, ac yn hynod gefnogol yn fy helpu i ganfod alawon gwerin llai cyfarwydd.

Roeddwn yn naw ar hugain oed pan enillais Wobr Goffa Lady Herbert Lewis. Mae'r atgof o gyffro'r achlysur yn parhau'n fyw yn y cof. Ond y tu hwnt i nosweithiau hwyr o hwyl ar Stryd Fawr y Bala a'r balchder o berfformio ar y llwyfan ac ennill, mae'r manylion yn brin. Roedd yr wybodaeth i gyd rywle yn atig y tŷ ac yn atig flêr y cof! Ar nos Sadwrn olaf yr Eisteddfod y cynhelid y gystadleuaeth bryd hynny. Roedd tipyn o gyffro yn perthyn i'r nos Sadwrn arbennig hwnnw, a minnau rywsut wedi cael llwyfan ar Wobr Goffa Llwyd o'r Bryn yn ogystal â Gwobr Goffa Lady Herbert. Roeddwn i'n mynd am y dwbl! Dw i'n cofio i dipyn o ddadlau a sgwrsio fod ymysg y beirniaid am fy mherfformiad adrodd y noson honno! Y rheswm am hynny oedd i mi ganu fy ffordd drwy un o ddarnau Tecwyn Lloyd mewn cystadleuaeth lefaru! Ond stori arall ydi honno! Wedi dyddiau o chwilio a chwalu'r tŷ, deuthum o hyd i ffeil o feirniadaethau'r blynyddoedd yng nghefn cwpwrdd anghofiedig, anhrefnus. Dyna ble'r oedd fy meirniadaeth ar daflen felen mewn llawysgrifen hyfryd. Anita Williams a Jennifer Clarke oedd yn beirniadu. Yn amlwg, roedd y ddwy yn gwybod eu stwff! Y ddwy alaw werin a genais oedd yr hen garol 'Ar fore dydd Nadolig' ac yn gyferbyniad iddi, yr alaw werin ddramatig a hwyliog, 'Merch ei Mam'. Dw i'n cofio fawr ddim am y canu na'r gystadleuaeth ei hun. Fodd bynnag, yn ôl y feirniadaeth, mi roddais, yng ngeiriau'r beirniaid, berfformiad 'a gofiwn am amser'. Ac yna, ychwanegwyd ôl-nodyn, sef nad oedd y beirniaid am gymryd sylw o'r 'geiriau newydd' a genais yn y pennill ola'! Mae llun ohonof fi â'r cwpan hyfryd yn brawf i mi fod ar ben fy nigon.

Credai Elen fod diwylliant gwerin yn mwynhau statws dyledus ar faes y brifwyl. Gwêl fod yna gyfle ardderchog i ddathlu canu gwerin anffurfiol yn y Tŷ Gwerin. Mae hefyd yn llawenhau bod prif gystadleuaeth canu gwerin yn parhau i ddal ei thir wedi'r holl flynyddoedd. Fel cyn-enillydd ei hun, bu'n fraint iddi feirniadu'r gystadleuaeth sawl tro. Cred Elen yn gryf y dylid parhau i roi parch cyfartal i ganu gwerin ar brif lwyfan y Brifwyl.

Ar y pryd, doeddwn i ddim yn sylweddoli maint y fraint o ennill Gwobr Goffa Lady Herbert Lewis Wrth edrych yn ôl, gwerthfawrogaf fwyfwy'r anrhydedd o ennill y gystadleuaeth bwysig hon.

44. Abigail Sara Williams

Bro Ogwr: 1998

Caneuon: 'Ar Ben Waun Tredegar' a 'Hosanna Mwy'
Beirniaid: Leah Owen a Rhidian Griffiths

Ganed Abigail yn 1976 ac fe'i magwyd yn Nhregŵyr, Abertawe. Cafodd ei haddysg gynradd yn Ysgol Gymraeg Bryn-y-môr, Abertawe, cyn symud i Ysgol Gyfun Gŵyr ac i'r chweched dosbarth yng Nghanolfan Gwenallt yn Ysgol Gyfun Ystalyfera. Aeth ymlaen wedyn i astudio mathemateg yng Ngholeg Crist, Caergrawnt, lle'r oedd hi'n ysgolhaig corawl. Erbyn hyn, ymgartrefodd Abigail yng Nghaerdydd lle mae hi'n gweithio fel Cyfrifydd Siartredig. Dechreuodd gystadlu mewn eisteddfodau lleol pan oedd yn dair oed. Cafodd ail yn yr unawd cerdd dant dan 10 yn Eisteddfod yr Urdd, 1984, a llwyddiant hefyd y flwyddyn ganlynol gan ennill ar y gystadleuaeth unawd cerdd dant dan 10 oed a chael yr ail wobr yn y llefaru. Dechreuodd gystadlu yn yr Eisteddfod Genedlaethol pan oedd yn 12 oed yn 1988. Y flwyddyn honno yng Nghasnewydd enillodd ddwy wobr gyntaf am lefaru ac ail yn yr unawd cerdd dant. Ers hynny, bu'n gystadleuydd cyson yn Eisteddfodau'r Urdd, y Genedlaethol a'r Ŵyl Cerdd Dant.

Dywedodd Abigail:

> Cefais fy magu ar aelwyd lle'r oedd y diwylliant Cymraeg a'r Pethe yn bwysig dros ben, er nad oedd llawer o ddawn gerddorol yn rhedeg yn y teulu! Roedd Tregŵyr bryd hynny yn Seisnigaidd iawn ond roedd cymdeithas Gymraeg weithgar a bywiog yn tynnu pobol i mewn o'r

dalgylch lleol. Cefais gyfle er pan oeddwn yn ifanc iawn i gymryd rhan yng ngweithgareddau'r gymdeithas a'r un modd yng Nghapel Bethel, Sgeti, Abertawe. Cefais brofiadau perfformio gwych yn yr ysgol dan hyfforddiant athrawon gweithgar a hynod dalentog, sef Jennifer Clarke ym Mryn-y-môr; Eric Jones a Meinir Richards yn Ysgol Gyfun Gŵyr, a Shân Cothi yn Ysgol Gyfun Ystalyfera.

Daeth profiadau cerddorol newydd i mi wedi i mi gael fy nerbyn i Gôr Ieuenctid Cenedlaethol Cymru yn 14 oed a chwrdd â John Hugh Thomas, oedd yn arwain y côr ar y pryd. Drwy gael gwersi canu gyda John Hugh a thrwy ganu mewn corau dan ei arweiniad, fe wnaeth fy ngwybodaeth a 'mhrofiadau cerddorol ehangu, ac ef a wnaeth f'ysbrydoli i geisio am ysgoloriaeth gorawl yng Nghaergrawnt.

Roedd treulio pnawniau a nosweithiau Sadwrn mewn eisteddfodau lleol o gwmpas de-orllewin Cymru yn beth hollol naturiol i mi pan oeddwn i'n ifanc. Ro'wn i wrth fy modd yn perfformio, gwneud ffrindiau, ac ymweld â phentrefi bach cefn gwlad na fyddwn, fel arall, wedi eu gweld. Mam a fi fyddai'n teithio gan amlaf, ond ambell waith byddai 'nhad yn dod hefyd, yn enwedig os oedd afon dda gerllaw a chyfle iddo bysgota tra oeddwn i'n cystadlu!

Bûm yn cystadlu ar ganu a llefaru i ddechrau ac yna canu gwerin, cerdd dant, a'r piano. Roedd ambell 'steddfod yn cynnig cystadlaethau ychydig yn wahanol o bryd i'w gilydd. Rwy'n cofio methu'n llwyr ar y gystadleuaeth i adrodd darn heb ei atalnodi ar y pryd ryw dro! Gyda Madam Myra Rees, Casllwchwr, y dechreuais gael gwersi canu, a thrwy hynny cefais gyfle'n ifanc iawn i ymuno â Pharti Llwchwr. Yn ddiweddarach, cefais wersi lleisiol gyda Jeanette Massocchi yng Ngholeg Cerdd a Drama Caerdydd. Mae'n well nodi yma mai mam oedd yn fy hyfforddi i lefaru!

Bûm dan adain Catherine Watkin yn y byd cerdd dant, hyd yn oed wedi iddi symud 'nôl i'r Gogledd. Roedd ei gosodiadau'n cyrraedd ar bapur ac ar dâp (rwy'n dangos fy oedran nawr!), a minnau'n gwrando'n astud arnynt. Yna taith i'r Gogledd cyn pob 'steddfod er mwyn i Mrs Watkin roi sglein ar y perfformiad.

Roedd *logistics* yr ochr canu gwerin yn llawer haws! Bûm yn ffodus o gael arbenigedd Jennifer Clarke i'm hyfforddi i ganu gwerin. Roeddem yn ffrindiau mawr gyda Jennifer a'r teulu ac yn byw yn eithaf agos atynt. Ond roeddem hefyd yn rhan o'r un grŵp carafanio a fyddai'n aros gyda'n gilydd ym mhob 'steddfod. Fe fyddai picio drws nesaf i garafán Jennifer er mwyn ymarfer yn ddigon cyfleus yn ystod wythnos y 'Steddfod.

O ran uchafbwyntiau eisteddfodol, cofiaf yn arbennig ennill Gwobr Goffa Lady Herbert Lewis yn 1998 ac ysgoloriaeth Eisteddfod yr Urdd yn Abertawe a Lliw yn 1993 a phrif gystadleuaeth yr unawd cerdd dant yn Eisteddfod Llanelli yn 2000.

Mae Abigail yn nodi bod agweddau cyffredin rhwng canu gwerin, cerdd dant a llefaru. Yn y pen draw, cyflwyno geiriau yw rhinwedd y perfformiad ym mhob un o'r meysydd hynny, gyda'r pwyslais ar naturioldeb a chyfathrebu gyda'r gynulleidfa.

Roedd y profiadau o berfformio ar lwyfannau cyngherddau, eisteddfodau, a sioeau cerdd yn amhrisiadwy. Mae fy nyled yn fawr i'r athrawon hynny oedd mor barod i feithrin dawn a rhoi profiadau mor eang i mi. Rwyf wedi elwa cymaint o'r profiad Eisteddfodol, boed drwy fagu hyder wrth berfformio, cael fy nerbyn yn aelod anrhydeddus o Orsedd y Beirdd a thrwy agor y drws i brofiadau ardderchog. Cefais gyfle i berfformio mewn nifer o wledydd tramor, gan gynnwys Seland Newydd, Canada, Hong Kong a'r Swistir, ac enwi ond rhai. Yn ddi-os, fyddwn i ddim wedi cael y profiadau hyn heb y sylfaen gadarn a ges i wrth gystadlu mewn eisteddfodau lleol a chenedlaethol.

Wedi rhoi'r gorau i'r byd cystadlu, mae Abigail wedi mwynhau'r cyfle i feirniadu cystadlaethau canu gwerin a gweld bod safon y cystadlu yn gyson uchel. Mae hefyd yn llawenhau o nodi datblygiad a thyfiant y ddarpariaeth werin ar faes yr Eisteddfod ac yn croesawu llwyddiant y Tŷ Gwerin.

Rydym mor ffodus yng Nghymru o'r cyfoeth o alawon gwerin bendigedig sydd gennym ni, ac rwy'n teimlo'n gryf fod gan y 'Steddfod ran bwysig i hyrwyddo, cynnal a diogelu ein treftadaeth werin gref.

45. Edryd Williams

Môn: 1999

Caneuon: 'Lliw'r Heulwen' ac 'Ambell i Gân'
Beirniaid: Elen Rhys a Meinir McDonald

Ganed Edryd yn 1973 ac fe'i magwyd yn y Bala lle mynychodd Ysgol Gynradd y Bala ac Ysgol y Berwyn. Yn ddiweddarach, symudodd y teulu i fyw i Fethel, nid nepell o'r Bala. Cafodd Edryd gyfleoedd rheolaidd i ganu fel aelod o gorau amrywiol ond nid fel unawdydd. Ar ôl gorffen yn yr ysgol, dechreuodd weithio fel peiriannydd mewn garej yng Nghorwen. Ceir, yn enwedig hen geir, yw ei ddiléit, yn enwedig Jaguars a Land Rovers. Ar ôl deng mlynedd, dychwelodd adre' i fod yn bartner gyda'i dad yn garej T. P. ac E. Williams ym Methel.

Dywed Edryd:

> Yn fy ugeiniau cynnar, ymunais â Chlwb Ffermwyr Ifanc Maes y Waun, a manteisio ar y cyfleoedd i ganu fel unigolyn yn eisteddfodau sirol Meirionnydd. Dechreuais fwynhau canu a chael blas ar gystadlu. Yna euthum am wersi canu unigol gyda Beti Puw Richards, merch Caradog Rhys Puw, Cynythog Bach. Rhoddai Beti bwyslais ar:
>
> • donyddiaeth sicr a glân
> • geirio clir, dealladwy a
> • mynegiant cynnil o'r wyneb i gyfleu ystyr y geiriau

Er mawr foddhad i'w fam sydd yn hanu o hen deulu blaengar Perthyfelin, Dinas Mawddwy, daeth dysgu canu gwerin a chanu cerdd dant yn rhwydd i Edryd. Mae'n amlwg fod canu gwerin yn ei waed! Bu Edryd yn hynod brysur yn perfformio mewn gwyliau ac eisteddfodau cenedlaethol.

Cafodd rannau unigol blaenllaw yng nghynyrchiadau Cwmni Theatr Meirion a Maldwyn yn Eisteddfodau Cenedlaethol 1991, 2003 a 2015, dan gyfarwyddyd Derec Williams, Penri Roberts a Linda Gittins. Yn 2014, perfformiodd Edryd yn sioe agoriadol Eisteddfod yr Urdd, Caerdydd, *Cynnal y Fflam*. Ysywaeth, bu farw Derec Williams, un o gyfarwyddwyr y sioe, yn ddisymwth ychydig cyn y perfformiad cyntaf. Er cof amdano, aethpwyd â'r sioe ar daith ledled Cymru.

Bu Edryd hefyd yn aelod o Feibion Llywarch a Chôr Bro Meirion. Gyda nhw, cafodd brofiadau diddorol iawn o ganu ledled Cymru, yn Llundain, Rhydychen, Efrog Newydd, ac ar raglenni teledu S4C, megis 'Noson Lawen'.

> Enillais gystadleuaeth Gwobr Goffa Lady Herbert Lewis ym Môn yn 1999. O ganlyniad, y flwyddyn ganlynol yn Llanelli yn 2000, fe'm derbyniwyd yn aelod anrhydeddus o Orsedd y Beirdd mewn gwisg werdd. Yna, wedi naw mlynedd o saib, yn 2017, eto yn Sir Fôn, enillais yr un gystadleuaeth am yr ail dro. Wedyn, yn dilyn fy llwyddiant, fe'm hurddwyd i'r wisg wen yn Eisteddfod Caerdydd, 2018.

Mae Edryd yn cofio gyda balchder Eisteddfod Genedlaethol Wrecsam a'r Cyffiniau, 2011. Dyma pryd y cafodd yr anrhydedd o ganu yn seremonïau boreol Gorsedd y Beirdd ar y Maen Llog ac yn seremoni gwobrwyo'r Fedal Ryddiaith ar lwyfan y pafiliwn. Teimlai hi'n fraint o fod yn rhan o ysblander y cyfan. Cred Edryd y dylid parhau i roi statws cyfartal i brif gystadleuaeth canu gwerin yr Eisteddfod oherwydd ei bod yn rhoi statws i'r ddisgyblaeth.

Yn amlwg, mae canu gwerin yn ei waed ac ynta'n ganwr bytholwyrdd ar draws y blynyddoedd. Hir y pery!

46. Catrin Alwen

Llanelli a'r Cylch: 2000

Caneuon: Medli o Alawon Gwerin ar y thema 'Adar'
Beirniaid: Delyth Medi a Dafydd Iwan

Ganed Catrin yn 1970 ac fe'i magwyd yn Llawr-y-glyn, gan mai 'cog o Faldwyn' oedd ei thad. Hanai ei mam, Elspeth, o Brion, Dinbych. Bu'n gyfnod hapus a diddig i Catrin yn byw ar fferm Esgairieth yng nghysgod Llyn Clywedog. Priododd Geraint Wyn Jones, ac fe gawsant dri o blant, Rhodri Wyn, Mari Alwen (a fu farw'n wyth mis oed) a Lowri Glyn. Mae hi a'i theulu bellach wedi ymgartrefu yn Chwilog ac mae'n parhau i ddysgu a chyfrannu i'w chymuned leol.

Dywedodd Catrin:

> Ardal amaethyddol a chwbl Gymreig oedd Llawr-y-Glyn yn fy nghyfnod cynnar. Roedd y capel yn ganolbwynt allweddol i hyn ac roedd yna amryw o gyfleoedd cymdeithasol a Chymreig o fewn ein cyrraedd yn ardal Carno a Llanbrynmair. Deuai Eisteddfod Powys ar ei thaith i Lanidloes yn ei thro. Roedd yna gefnogaeth frwd i'r Pethe. Pan gaewyd Ysgol Llawr-y-Glyn ar ddechrau'r '70au, cludwyd y plant i Ysgol Trefeglwys ble sefydlwyd Uned Gymraeg lewyrchus ar eu cyfer. Hyd heddiw, mae Clwb Ffermwyr Ieuanc brwdfrydig iawn yn

Nhrefeglwys ac mae fy nyled yn fawr i'r mudiad am gynnig cyfleoedd perfformio dros y blynyddoedd. Pan ddechreuais fynychu'r Clwb yn fy arddegau cynnar, roedd y cyfan yn Saesneg ond, yn raddol, cafwyd mwy o gyfleoedd i gystadlu drwy gyfrwng y Gymraeg mewn cystadlaethau siarad cyhoeddus, pantomeim, adloniant a dramâu Cymraeg yn ogystal â'r Eisteddfod.

Mantais fawr i Catrin oedd bod ei mam a'i theulu wedi eu trwytho yn y Pethe. Daeth yn hyfforddwraig, cyfeilydd a beirniad cenedlaethol cydnabyddedig. Hi fu'n hyfforddi Catrin dros y blynyddoedd i ganu'n naturiol ac i gyfathrebu efo'r gynulleidfa. Byddai'n pwysleisio'r angen iddi ddeall ystyr y geiriau er mwyn argyhoeddi'r beirniad a'r gynulleidfa. Roedd ei thaid, sef Edwin Roberts ('Taid Fedw'), hefyd yn gystadleuydd cyson yn eisteddfodau Dyffryn Clwyd a Dyffryn Conwy. Byddai yntau'n hael gyda'i farn a'i gyngor! Prin dair oed oedd Catrin Alwen pan gystadlodd am y tro cyntaf a dechreuodd ganu cerdd dant pan oedd yn bedair oed. Aeth ymlaen i gystadlu'n gyson a llwyddiannus yn yr Urdd, yr Eisteddfod Genedlaethol a'r gwyliau cerdd dant. Erbyn hyn, fel ei mam, mae Catrin hefyd yn beirniadu yn ar lefel genedlaethol.

Yn 2000, yn Eisteddfod Llanelli a'r Cylch, roedd gofynion cystadleuaeth Gwobr Goffa Lady Herbert Lewis yn dra gwahanol i'r arfer. Nid canu dwy alaw werin gyferbyniol oedd y dasg y tro hwnnw ond cyflwyno rhaglen hyd at bum munud. Roedd mam wrth ei bodd ond doeddwn i ddim mor siŵr! Aethom ati i greu medli ac, yn ffodus, roedd digon o ddewis o alawon! Llwyddais i greu cyfanwaith allan o bytiau o un ar ddeg o alawon llon a lleddf – cryn her a oedd yn golygu llawer iawn o ymarfer er mwyn sicrhau llif esmwyth o un alaw i'r llall. Y beirniaid oedd Delyth Medi (cyn enillydd) a'r nodedig Dafydd Iwan. Roedd yr her newydd yn golygu llawer iawn i mi ac roeddwn yn benderfynol o wneud fy ngorau glas. Mwynheais berfformio ar lwyfan, yn ymwybodol fod cynulleidfa'r Pafiliwn yn dyst i berfformiad gwerinol gwahanol i'r arfer! Ac felly y bu – dyfarnwyd y wobr gyntaf i mi ac roeddwn ar ben fy nigon. 'Anghofiaf fyth mo'r profiad! Bu'n Eisteddfod i'w chofio am reswm arall hefyd, gan i'm chwaer, Einir Haf, a minnau ennill y wobr gyntaf ar y ddeuawd cerdd dant. Gyda'n cyfnither, Helen Medi, aethom ymlaen i ennill y triawd cerdd dant hefyd. O'r holl ganeuon gwerin a ddysgais ac a berfformiais dros y blynyddoedd, mae'n rhaid cyfaddef mai'r medli yw'r peth mwyaf defnyddiol a phoblogaidd a ddysgais erioed. Fe'i defnyddiais droeon mewn cyngherddau ar hyd a lled y wlad. Ystyriaf lunio medli arall yn bur fuan.

Cred Catrin fod lle i gystadlaethau alawon gwerin ar lwyfan ein prifwyl. Er hynny, cred bod angen glynu at arddull naturiol ac osgoi bod yn 'unawdol'. Mae Catrin yn honni fod y dewisiad o ganeuon yn hanfodol bwysig i'r datgeinydd fedru uniaethu â neges y geiriau. Gwêl y Tŷ Gwerin yn allweddol wrth roi llwyfan i wahanol artistiaid mewn awyrgylch gartrefol a hamddenol.

> Wrth edrych yn ôl, rwy'n falch i mi ymwneud â'r Pethe a fu mor bwysig i mi a'm teulu.

47. Aled Wyn Davies

Dinbych: 2001

Caneuon: 'Y Ferch o Blwy' Penderyn' a 'Ddaw Hi Ddim'
Beirniaid: Eirian Jones a Wyn Thomas

Ganed Aled yn 1974 ac fe'i magwyd yn Llanbryn-mair. Mae'n falch o'i fagwraeth yn ardal ddiwylliedig Bro Ddyfi, lle mae cymdeithasau, corau a pharti̇on cerddorol wedi dylanwadu arno dros y blynyddoedd. Gwerthfawroga ddylanwad ei deulu, ei athrawon ysgol, arweinwyr yr Urdd a'r Ffermwyr Ifanc ac am ei gefnogi i gymryd diddordeb mewn cerddoriaeth. Erbyn hyn, mae'n anodd iddo gredu bod dwy ar bymtheg o flynyddoedd wedi hedfan heibio ers i'r hogyn 26 oed ennill yr anrhydeddus Wobr Goffa Lady Herbert Lewis. Mae Aled yn ffermio ym Mhentre-mawr, Llanbrynmair ac yn briod â Karina ers 2004. Mae ganddynt ferch, Aria, sy'n wyth oed, a mab, Aron, sydd yn bedair. Enillodd Aled y prif wobrau am ganu gwerin yn Eisteddfod Llangollen yn 1999 a'r Eisteddfod Genedlaethol yn Ninbych yn 2001. Yna, dechreuodd dorri cwys iddo'i hun fel tenor o'r radd flaenaf. Un o brif ragoriaethau gyrfa Aled hyd yn hyn yw'r ffaith iddo ennill yr unawd tenor deirgwaith yn olynol yn yr Eisteddfod Genedlaethol ac yna, yn 2006, coronwyd ei ymdrechion pan gipiodd y Rhuban Glas ym Mhrifwyl Abertawe yn 2006. Cafodd lwyddiannau eraill mewn nifer o'n heisteddfodau pwysicaf, gan gynnwys Canwr y Flwyddyn yn Eisteddfod Gerddorol Ryngwladol Llangollen, 2005, a'r Rhuban Glas yng Ngŵyl Fawr Aberteifi yn 2006.

Dyma ddywedodd Aled:

Ers i mi ymuno â Chôr Godre'r Aran fel eu hunawdydd gwadd, rwyf wedi teithio o amgylch y byd. Yn ystod ein taith gerddorol yn 2003, bûm yn canu ym mhrif neuaddau Seland Newydd ac Awstralia. Yn 2007, ymunais â nhw unwaith eto a bûm ym Mhatagonia ac yn 2008 yn Ne Affrica yn cydganu â chôr meibion Cymry De Affrica. Dw i wedi canu deirgwaith yng nghyngherddau Gŵyl Ddewi Capel Cymraeg Los Angeles ac am gyfnod perfformiais ar fordeithiau operatig a chlasurol gan ymweld â Gogledd America, y Dwyrain Pell, yr Eidal, gwledydd y Baltig a De America. Dw i wedi perfformio yng ngŵyl Gymraeg gogledd America ar dri achlysur, yn ogystal ag yn Ne Iwerddon, Gwlad Belg a Ffrainc gyda chôr meibion Treforys. Yn 2006, rhyddhawyd fy nghryno ddisg cyntaf, *Nodau Aur fy Nghân* ac yna yn 2015 rhyddhawyd *Erwau'r Daith*.

Mae Aled yn amlwg yn enghraifft o gryfder y diwylliant Cymraeg ar ei orau, sef dyn ifanc sy'n dal i amaethu ond sydd ar yr un pryd yn defnyddio'i ddawn i gyrraedd y brig ym myd canu.

Bydd dydd Sadwrn olaf Eisteddfod Genedlaethol Sir Ddinbych, 2001, yn aros yn y cof am byth i mi. Dyma'r eisteddfod a gynhaliwyd yn ystod blwyddyn clwy'r traed a'r genau. Roedd rheolau iechyd a diogelwch llym ar y maes. Dyma hefyd oedd y tro cyntaf erioed i mi fod yn fuddugol yn yr Eisteddfod Genedlaethol, er i mi ennill ar ganu gwerin yn yr ŵyl Cerdd Dant yn 1997 ac yn Eisteddfod Gerddorol Ryngwladol Llangollen yn 1999.

Yn Eisteddfod Genedlaethol Sir Ddinbych, enillais ddwy wobr gyntaf ar yr un diwrnod, gan i mi ennill cystadleuaeth Cymdeithas Eisteddfodau Cymru, Unawdydd 2001, yn gynharach y diwrnod hwnnw. Felly, i ffwrdd â fi i'r rhagbrawf yn hapus iawn ac, ar ôl gwrando ar 16 o gystadleuwyr, dyma'r beirniaid yn cyhoeddi bod Dafydd Jones, Siwan Llynor a fi wedi cael llwyfan! Roeddwn yn falch iawn unwaith eto ac yn edrych ymlaen at droedio'r llwyfan mawr am yr eildro'r diwrnod hwnnw. Cenais ddwy alaw hollol gyferbyniol, sef 'Y Ferch o Blwy' Penderyn', ac yna "Ddaw hi ddim'. Roedd angen canu deallus, llyfn dros ben yn y gyntaf, gan ddangos cariad at y ferch o Benderyn. Yna roedd angen newid awyrgylch yn llwyr yn 'Ddaw hi ddim' drwy gymeriadu a chael tipyn o sbort. Gweithiodd hyn hyd yn oed yn well ar y llwyfan oherwydd i'r gynulleidfa ymateb yn fendigedig i'r hwyl yr oeddwn yn ceisio'i gyfleu. Roedd llinellau lle'r oeddwn yn llefaru ar ddiwedd pob pennill cyn llifo'n esmwyth 'nôl i'r canu yn y gytgan. Y grefft yn y fan hon oedd ceisio cadw'r traw wrth ddod 'nôl i mewn i'r gân, gan orffen ar yr union nodyn y dechreuais arno! Daeth J. Eirian Jones i'r llwyfan i draddodi ac wrth iddi siarad amdanaf, roedd yn amlwg 'mod i wedi plesio'r beirniaid. Cefais sioc bleserus wrth wrando arni'n dweud pethau fel 'Llwyddodd i'n cyfareddu a rhoddodd hyn wefr arbennig i ni o weld gwir artist ar waith'. Pan ofynnwyd i mi ddychwelyd i'r llwyfan gan Robin Jones i dderbyn fy ngwobr, roeddwn mor falch fod Mrs Nest Price, wyres Lady Herbert Lewis, yno i'w chyflwyno i mi. Diwrnod arbennig iawn, yn wir!

Roeddwn uwchben fy nigon o gael ennill ac, er fy mod wedi mwynhau'r cyfnod o gystadlu fel canwr gwerin, dyma'r tro olaf i mi droedio'r llwyfan cystadleuol fel unawdydd gwerin. Roeddwn mor falch o'r cyngor a'r hyfforddiant amhrisiadwy a dderbyniais gan fy athrawes llais, Eirian Owen, arweinydd nodedig Côr Godre'r Aran. Byddem yn ein glannau'n chwerthin yn iach weithiau wrth i mi arbrofi gydag ambell linell mewn ffordd ddoniol!

Wedi'r diwrnod mawr yn Ninbych, daeth cyfleoedd di-ri i ganu mewn cyngherddau drwy Gymru benbaladr, gan gynnwys perfformiad yng nghyngerdd Nadolig S4C y flwyddyn honno, sef *Carolau o Langollen*, cyn mynd ymlaen yn naturiol wedyn i gystadlu fel unawdydd clasurol. Daeth llwyddiant i'm rhan unwaith eto yn yr Eisteddfod Genedlaethol oherwydd i mi ennill yr unawd tenor deirgwaith yn olynol cyn ennill y Rhuban Glas yn 2006. Braf hefyd oedd cael dod 'nôl i'r union faes yn Ninbych yn 2013, lle enillais gyda'm ffrind, y baswr Trystan Lewis, gystadleuaeth Deuawd yr Hen Ganiadau.

Mae Aled yn parhau'n brysur iawn yn canu. Cafodd y fraint o berfformio a chynrychioli diwylliant cerddorol Cymreig mewn 47 o wledydd fel unawdydd. Yn 2014, ymunodd â'r triawd clasurol poblogaidd, Tri Tenor Cymru, gan berfformio mewn cyngherddau mawreddog yng Nghymru a thramor. Mae'n dweud mai un o uchafbwyntiau ei fywyd oedd canu'r alaw werin 'Gwenno Penygelli' mewn cyngerdd yn Esquel ym Mhatagonia yn 2008. Pan ofynnodd i'r 800 o bobl oedd yn y gynulleidfa ymuno ag o yn y cytganau, roeddent yn morio canu! Roedd hwnnw'n brofiad gwefreiddiol i Aled, a dweud y lleiaf!

Mae gennyf atgofion hapus iawn o'r cyfnod hwn ac roedd canu gwerin yn bendant y ffordd orau i ddatblygu'r llais a chael defnyddio'r ddawn i gymeriadu ar lwyfan.

48. Nia Tudur

Sir Benfro Tyddewi: 2002

Caneuon: 'Y G'lomen' a 'Hen Ferchetan'
Beirniaid: Dafydd Idris ac Ann Williams

Ganed Nia yn 1975 ac fe'i magwyd yn Llanelwy, Sir Ddinbych, Erbyn hyn, mae wedi ymgartrefu yng Nghaerdydd ac yn gweithio fel newyddiadurwr i BBC Cymru. Yn blentyn canol mewn teulu o dri, cafodd ei haddysg yn Ysgol Twm o'r Nant, Dinbych, ac Ysgol Glan Clwyd. Fe'i gwelwyd ar lwyfannau cyngherddau, eisteddfodau lleol a gwyliau cenedlaethol fel unawdydd ac fel aelod côr a pharti.

Dywedodd Nia:

Bu canu gwerin yn rhan annatod o 'mywyd o oedran ifanc iawn, a hynny o dan ddylanwad fy mam fu'n fy hyfforddi gartref. Bûm yn ffodus o fod yn ddisgybl mewn dwy ysgol lle'r oedd traddodiad cryf o ganu. Roedd yr athrawon yn ymroddgar ac yn barod i'n meithrin a'n cyflwyno i bob math o ganeuon, o'r werin i'r cyfoes. Credaf fod canu gwerin a cherdd dant yn mynd law yn llaw gan fod y geiriau'n allweddol bwysig. Cefais fy hyfforddi i gyfleu'r geiriau, i ddehongli a dweud y stori, i weddu'r llais i'r gân ac i weddu natur y gân i'r person sy'n ei chanu.

Arhosodd y nodweddion hynny gyda Nia wrth iddi gael cyfle dros y blynyddoedd diwethaf i feirniadu mewn cystadlaethau canu gwerin cenedlaethol.

Tri chynnig i Gymro oedd fy hanes wrth gystadlu am Wobr Goffa Lady Herbert Lewis yn Eisteddfod Sir Benfro Tyddewi yn 2002, ar ôl cael yr ail wobr ddwywaith yn Eisteddfod Meirion a'r Cyffiniau yn 1997 ac Eisteddfod Llanelli, 2000.

Y benbleth fwyaf i mi bob tro roeddwn yn paratoi ar gyfer y gystadleuaeth hon oedd yr angen i ganu dwy gân werin 'wrthgyferbyniol'. Mae pawb sy'n fy adnabod yn gwybod fy mod yn hoff o ganu caneuon pruddglwyfus a theimladwy – ond nid y caneuon mwy hwyliog neu'r rhai lle mae angen cymeriadu! Roedd un o'r dewisiadau yn hawdd sef un o fy hoff ganeuon gwerin – 'Y G'lomen'. Mentro wedyn gyda 'Hen Ferchetan' fel yr ail gân, gan obeithio y byddai honno yn gweddu i'm llais a'm harddull o ganu.

Cofia Nia iddi gyrraedd y gwesty yn Arberth ar y nos Wener cyn cystadlu a darganfod ei bod, yn anffodus, yn aros yn yr un lle â'r beirniaid, Dafydd Idris ac Ann Williams! Rhaid, felly, oedd iddi gadw hyd braich a'u cyfarch yn gynnil amser brecwast, gan wybod y byddai'n canu o'u blaenau yn y rhagbrawf ymhen ychydig oriau!

> Y flwyddyn honno fe gyrhaeddodd pedwar ohonom y llwyfan, ac mae'n rhaid bod fy newis o ganeuon wedi gweithio gan i mi ennill y cwpan. Cafodd le teilwng wedyn am y flwyddyn yn yr ystafell fyw yn fy nghartref yn Yr Wyddgrug. Ddwy flynedd yn ddiweddarach, fe fentrais gystadlu eto yng Nghasnewydd, gan ganu y tro hwn un arall o'm hoff ganeuon gwerin – 'Hiraeth am Feirion', ac yna 'Mae Robin yn Swil'. Y flwyddyn honno, roedd y gystadleuaeth yn rhan o'r nos Sadwrn olaf o gystadlu. Roedd hynny'n creu awyrgylch gwahanol yn y pafiliwn, gydag ymdeimlad o gyngerdd bron. Bu'n rhaid aros tan ddiwedd y noson i wrando ar y feirniadaeth gan Einir Wyn Jones a Morfudd Maesaleg. Bûm yn ddigon ffodus i ennill y wobr am yr eildro. Ar ôl imi gystadlu cymaint ar ganu gwerin er pan oeddwn yn blentyn, roedd ennill Gwobr Goffa Lady Herbert Lewis yn sicr yn cyflawni uchelgais, ac yn destun balchder mawr i mi.

Bu canu gwerin yn rhan ganolog o fywyd Nia mewn dwy gymuned, boed hynny mewn cyngherddau neu gystadlaethau eisteddfodol, fel unawdydd ac mewn partïon neu gorau.

> Dysgais ddegau ar ddegau o ganeuon ar hyd y blynyddoedd, ar gyfer eu perfformio mewn eisteddfodau, o'r 'Robin Goch' i'r 'Robin Swil'! Mae nifer ohonyn nhw'n parhau i fod yn ffefrynnau gen i ac rwy'n cael pleser bythol o'u canu a'u rhannu gyda chynulleidfaoedd mewn gwahanol achlysuron. Gwn nad ydi pawb yn hoff o'r canu gwerin 'eisteddfodol', ond heb os mae'n fodd o gadw'r caneuon gwerin yn fyw a'u trosglwyddo o genhedlaeth i genhedlaeth.

Ar nodyn personol, cefais y fraint o ddysgu Nia yn Ysgol Twm o'r Nant yn yr 1980au pell pan oeddwn yn Ddirprwy Bennaeth yno. Deuthum i'w hadnabod fel merch weithgar ymroddedig. Nid oedd yn syndod felly i mi iddi gyrraedd y brig ym mhob agwedd o'i bywyd gan gynnwys y byd eisteddfodol.

49. Siwan Llynor

Maldwyn a'r Gororau: 2003

Caneuon: 'Broga Bach' a 'Mil Harddach Wyt'
Beirniaid: J. Eirian Jones a Wyn Thomas

Ganed Siwan Llynor yn 1978 ac fe'i magwyd yn y Bala, yng nghanol y Pethe, ble'r oedd llefaru a chanu yn gyfarwydd a chyffredin. Yma, rhoddodd llawer o bobl eu hamser i ddysgu a hyfforddi pobl ifanc yn y traddodiad gwerin. Cydiodd perfformio yn ei gwaed ac aeth Siwan ymlaen i astudio drama ym Mhrifysgol Aberystwyth. Wedyn, aeth i weithio ym myd y celfyddydau fel actor, ymarferydd creadigol a chyfarwyddwr. Mae alawon gwerin yn nodwedd gyson yn ei gwaith creadigol. Ers blynyddoedd lawer, mae hi wedi ymgartrefu yn Ynys Môn gyda'i gŵr, Dylan, a'u dau fab, Bedwyr a Gwilym.

Dywedodd Siwan:

> Ail oeddwn i Aled Llanbryn-mair yn Eisteddfod Sir Ddinbych a'r Cyffiniau yn 2001 ond yn barod i gipio Gwobr Lady Herbert ym Meifod yn 2003. Cefais fy hyfforddi gan ffrind i mi, sef Arfon 'Pentre' Williams, cyn-enillydd ei hun, perffeithydd a fynnodd fod pob nodyn a gair yn ei le. Ond yng nghanol y gytgan, *'amidym da' Broga bach*, yn y rhagbrawf, fe ganodd ffôn symudol a doedd neb yn siŵr iawn beth i'w wneud. Roedd ffonau symudol yn bethau eithaf newydd ar y pryd. Beth bynnag, ymlaen â mi i'r llwyfan, a'r pafiliwn yn ddistaw fel y bedd yn ystod y perfformiad. Cipiais Wobr Lady Herbert a bûm yn dathlu ym Maes B tan oriau mân y bore. Roeddwn yn gweithio ar y pryd fel actor yn y gyfres deledu *Tipyn o Stad* a chefais groeso mawr gan y cast a'r criw yn ôl ar y set. Ysgrifennodd yr actor adnabyddus, John Ogwen, englyn yn arbennig i mi a'i gyflwyno mewn cerdyn sidan hardd.

Rhoddodd y gystadleuaeth yr hyder i Siwan gyhoeddi albwm o'r enw *Plu'r Gweunydd* sy'n gymysgedd o ganeuon gwerin a chaneuon gwreiddiol.

> Flynyddoedd wedi'r gystadleuaeth, bûm yn canu 'Mil Harddach Wyt na'r Rhosyn Gwyn' a Bedwyr, fy maban bach cyntaf, yn fy mreichiau, a

geiriau'r gân yn golygu llawer mwy nag oedden nhw i'r ferch ifanc ar lwyfan Eisteddfod Meifod.

Yr hyn y bydd Siwan yn anelu ato wrth ganu cân werin yw cyflwyno ystyr a naws y geiriau mewn ffordd naturiol.

Nid cyfrwng i arddangos gwychder eich llais a ddylai cân werin fod, yn fy marn i, ac nid creu sain hyfryd yw'r flaenoriaeth – chi sy'n cyflwyno'r gân yn hytrach na'r gân yn eich cyflwyno chi. Y gân, nid y canwr sy'n bwysig. Mae'r grefft o gyflwyno stori ar gân yn cynnwys:

- cyfathrebu dawnus gyda chynulleidfa
- cofio bod dechrau, canol a diwedd
- amrywio'r tempo i greu effaith
- lliwio geiriau i greu darlun byw
- brawddegu'n naturiol i alluogi cynulleidfa i ddilyn y stori
- sicrhau bod pob ystum yn llifo'n naturiol i gyfoethogi'r dweud

Er y cred Siwan fod llawer wedi newid ym maes cerddoriaeth a thechnoleg ers 2003, iddi hi mae'r hen alawon prydferth yn parhau i fod yn berthnasol ac yn rhan o'n gwead ni fel Cymry.

Mae'r poblogrwydd diweddar ar ymdriniaeth newydd egnïol o'n halawon gwerin gan artistiaid ifanc yn gyffrous, ac yn sicrhau bod yr alawon yn aros yn gyfredol yn yr oes gyflym a thechnolegol hon.

50. Nia Tudur

Casnewydd a'r Cylch: 2004

Caneuon: 'Hiraeth am Feirion' ac 'Mae Robin yn Swil'
Beirniaid: Einir Wyn Jones a Morfudd Maesaleg
(gweler 48, tudalen 135)

51. Gregory Vearey-Roberts

Eryri a'r Cyffiniau: 2005

Caneuon: 'Ar Fore Ddydd Nadolig' a 'Cân y Cardi'
Beirniad: Myron Lloyd a Dafydd Idris

Ganed Gregory yn 1974 ac fe'i magwyd yn Bow Street, Aberystwyth. Mae bellach wedi ymgartrefu gyda'i wraig a'i ferch, Casi Olivia, ym Mhenrhyn-coch, ger Aberystwyth. Er pan oedd yn blentyn 4 oed, teithiai Gregory ar hyd a lled Cymru gyda'i deulu yn cefnogi eisteddfodau bach a mawr. O dan hyfforddiant Bethan Jones (gwraig y diweddar Eddie Jones, pennaeth Ysgol Gynradd Rhydypennau), llwyddodd Gregory i ennill gwobr Lady Herbert Lewis ar ddau achlysur. Yn ogystal â hynny, bu'n fuddugol wrth ganu gwerin yn Eisteddfod Gerddorol Ryngwladol  Llangollen a hefyd yn yr ŵyl Ban Geltaidd. Ef yw arweinydd Côr Ger y Lli, Côr Cynradd ac Uwchradd Sir Ceredigion a Chyfarwyddwr Academi Gerdd y Lli.

Dywedodd Gregory:

Heb os nac oni bai, y dylanwad mwyaf arnaf yn y byd canu gwerin yw Bethan Jones. Iddi hi mae'r diolch mwyaf fod canu gwerin mor agos at fy nghalon. Yn blentyn 7 oed, cofiaf eistedd yn ei hystafell fyw yn Nryslwyn yn gwrando'n astud ar ei dadansoddiad o'r caneuon gwerin amrywiol. Mae gan Mrs Jones wybodaeth amhrisiadwy am hanesion alawon gwerin. Mae ganddi hefyd y ddawn ragorol i ddehongli caneuon gwerin mewn dull unigryw. Pwysleisiodd Bethan yr angen i ganu'n naturiol gan bwysleisio rhai geiriau i gyfleu'r stori. Hyd heddiw, af i weld Mrs Jones i ymofyn ei barn a'i chyngor pan fyddaf yn dysgu cân werin newydd fel unawdydd neu fel arweinydd côr.

Cefais fwynhad o ddewis yr alawon ar gyfer y gystadleuaeth. Treuliais amser gyda Mrs Jones yn cydfyseddu ei llyfrau gwerin amrywiol i ddod o hyd i ddau ddarn cyferbyniol a diddorol. Dewisais 'Ar Fore Ddydd Nadolig' ar gyfer Eisteddfod 2007 oherwydd naws eglwysig hyfryd yr alaw. Gorffennais gyda 'Cân y Cardi' a oedd yn ddewis priodol i frodor o Geredigion! Yn ddwy ar hugain oed, roeddwn yn gystadleuydd ifanc iawn yn y ras. Roeddwn wrth fy modd o ddeall i mi gyrraedd y llwyfan. Y pleser mwyaf oedd bod fy rhieni, ynghyd â Mrs Jones, yn y pafiliwn i fy nghefnogi. Roeddwn wedi gwirioni'n lan o fod yn rhan o gystadleuaeth oedd yn golygu cymaint i mi. Cefais wefr wrth ddarllen yn y feirniadaeth fod y beirniaid wedi mwynhau naws fy nehongliad o 'Ar Fore Ddydd Nadolig' o fewn yr eglwys lle cynhaliwyd y rhagbrawf. Da deall i mi greu cryn argraff arnynt.

Enillodd Gregory gystadleuaeth yr Unawd Alaw Werin yn Eisteddfod yr Urdd yn y mis Mehefin blaenorol a thrwy hynny, enillodd le yng nghystadleuaeth Ysgoloriaeth Bryn Terfel. Ar ddiwrnod cystadleuaeth Gwobr Goffa Lady Herbert Lewis (pan enillodd am y tro cyntaf), roedd hefyd yn disgwyl i fynychu gweithdy meistr ar gyfer cystadleuaeth yr ysgoloriaeth. Cofia mai ei dad aeth gydag ef i'r rhagbrawf, a hynny mewn eglwys fechan hardd ar stad y Faenol.

Yn syth wedi ennill, fe'm rhuthrwyd i'r wers meistr a phwy well oedd yn fy nisgwyl i'm llongyfarch ond Bryn Terfel ei hun!

Teimlai Gregory yn ffodus iawn o ennill Gwobr Goffa Lady Herbert

Lewis am yr ail dro yn Eisteddfod Sir Gâr, 2014 yn dilyn wyth mlynedd o saib o ganu:

> Cenais un o'm hoff alawon gwerin, sef 'Adar Mân y Mynydd'. Fel cyferbyniad, dewisais gân oedd yn llai adnabyddus sef 'Cân y Cwcwallt'. Clywais Merêd yn ei chanu ar ei gryno ddisg a gwyddwn yn syth bod y gân werin yn gweddu fy mhersonoliaeth! Y flwyddyn honno, roedd fy ngwraig, fy chwaer, fy ffrind gorau a'i wraig; yn y Pafiliwn i 'nghefnogi. Wedi saib o wyth mlynedd o ganu, teimlwn yn nerfus iawn wrth gystadlu unwaith eto. Ond wedi cyrraedd y llwyfan o flaen y gynulleidfa, teimlwn mor gartrefol ag erioed. Hybodd y llwyddiant hwn i mi ailgydio yn fy niddordeb o berfformio'n unigol.

Cred Gregory fod cystadleuaeth Gwobr Goffa Lady Herbert Lewis, yn gwbl allweddol i sicrhau statws a pharhad ein hetifeddiaeth ym myd canu gwerin.

> Bu dyfodiad y Tŷ Gwerin i faes yr Eisteddfod yn ddatblygiad cyffrous. Credaf yn gryf fod canu gwerin yn haeddu lle ar ddau lwyfan y Brifwyl. Gobeithiaf yn fawr y bydd ffyniant y gystadleuaeth hon yn parhau i hybu ac ysbrydoli cantorion am flynyddoedd i ddod.

52. Esyllt Tudur

Abertawe a'r Cylch: 2006

Caneuon: 'Y Gwydr Glas' a 'Gwn Dafydd Ifan'
Beirniaid: Morfudd Maesaleg ac Abigail Sara

Ganed Esyllt yn 1985 ac fe'i magwyd yn Llanrwst ac wedi cyfnod yn y coleg, mae wedi ymgartrefu yn ôl yno. Etifeddodd Esyllt ddiddordeb ei rhieni, Dennis ac Enid Davies, mewn eisteddfota – y ddau'n gystadleuwyr brwd eu hunain. Bu Esyllt yn teithio o eisteddfod i eisteddfod ledled Cymru ar benwythnosau gyda'i rhieni a'i brawd mawr, Deiniol Tudur. Yn ogystal â hynny, bu'n cystadlu yn Eisteddfodau'r Urdd, y Genedlaethol a'r ŵyl Cerdd Dant bob blwyddyn am gyfnod sylweddol. Bu'n ddisgybl yn Ysgol Llwytgoed,

Ysgol Bro Gwydir Llanrwst ac yna yn Ysgol Uwchradd Dyffryn Conwy. Aeth i Brifysgol Aberystwyth i astudio Mathemateg. Mae'n gweithio bellach fel Swyddog Gwledig a Chyllid i Fenter Iaith Conwy. Priododd Gordon Adair yn 2014 a ganed iddynt ferch fach o'r enw Eilidh Tudur. Erbyn hyn, mae Esyllt wedi ennill tair prif gystadleuaeth yr Eisteddfod Genedlaethol, sef Gwobr Goffa Lady Herbert Lewis yn 2006, Gwobr Goffa Llwyd o'r Bryn yn 2010 a Thlws Eleanor Dwyryd yn 2012.

Dywedodd Esyllt:

Does gen i ddim cof pwy a'm hysbrydolodd i ganu gwerin ond o oedran ifanc roeddwn yn gyfforddus iawn wrth ganu gwerin ac yn teimlo'n fwy cartrefol na nerfus wrth ganu'r alawon yn gyhoeddus. Mae 'na rhywbeth ffres i ganu gwerin, mae gan bawb arddull a dehongliad gwahanol ac nid ydych yn hollol gaeth i'r copi. Credaf yn gryf fod angen i ganu gwerin ddod o'r galon a bod yn naturiol, a dyna sut yr oeddwn i'n mynd ati i feddwl am alawon i'w canu a'u perfformio. Y tro cyntaf i mi ennill gwobr am ganu gwerin yn un o brif wyliau Cymru oedd yn Eisteddfod Genedlaethol yr Urdd Maelor 1996. Ddeng mlynedd yn ddiweddarach a minnau newydd raddio, dyna'r y tro cyntaf i mi fod yn yr oedran (dros 21) i allu cystadlu am Wobr Goffa Lady Herbert Lewis.

Gan ei bod yn gystadleuaeth hunanddewisiad, roedd angen dethol alawon i'w canu. Wedi i ni anfon y copïau ymlaen i Swyddfa'r Eisteddfod, roedd angen mynd ati i'w dysgu. Yna, ryw wythnos neu ddwy cyn wythnos yr Eisteddfod, euthum at Mrs Catherine Watkin yn Neganwy er mwyn cael ei barn hi ac ychydig o awgrymiadau buddiol!

Dydd Iau'r Eisteddfod y cynhelid rhagbrawf y gystadleuaeth a thra oeddwn yn ceisio mynd dros fy ngeiriau, trod Deiniol, fy mrawd, ataf a dweud 'Mae 'na bennill arall, 'sdi!'. O, na! roeddwn wedi anghofio dysgu un pennill! Felly dyma gael y copi a mynd ati ar frys i ddysgu'r geiriau, a mynd drostynt ddegau o weithiau. Roeddwn yn hynod o nerfus yn cyrraedd y rhagbrawf ond trwy ryfedd wyrth fe gofiais yr holl benillion a'r geiriau, a phan gefais y newyddion fy mod wedi cael llwyfan, ni allwn gredu'r peth!

Drannoeth, roedd y gystadleuaeth ar y llwyfan (dydd Gwener). Dw i'n cofio mynd am dro yn y car gyda fy rhieni i fynd dros y geiriau a chael ychydig o gwsg – gan fy mod yn cysgu mewn pabell ym Maes B am yr wythnos. Erbyn amser y gystadleuaeth, roeddwn yn barod a dw i'n cofio mwynhau canu'r ddwy gân a theimlo'n gartrefol ar y llwyfan yn enwedig wrth ganu 'Gwn Dafydd Ifan'.

Dyfarniad y gystadleuaeth hon oedd y peth olaf cyn seremoni'r Gadair ac felly roedd y pafiliwn yn llawn a Gorsedd y Beirdd wrthi'n dyfod i'r llwyfan ar gyfer y seremoni. Pan ddaeth y cyhoeddiad mai Esyllt Tudur oedd wedi ennill y wobr gyntaf, roeddwn i'n methu credu. Roedd yn deimlad hollol swreal. Roeddwn mor nerfus yn cerdded ar y llwyfan i dderbyn y tlws a'r llongyfarchiadau. Cofiaf y wefr a deimlais wrth i Laura Richards roi'r cwpan yn fy llaw. Roeddwn yn crynu cymaint nes i ddarn du gwaelod y cwpan ddisgyn i'r llawr o flaen *pawb*! Fe'i codais yn sydyn a'i osod yn ôl yn ei le.

Wrth ennill y wobr hon, sylweddolodd Esyllt y byddai'n cael ei derbyn yn aelod anrhydeddus o Orsedd y Beirdd y flwyddyn ganlynol. Golygai hyn lawer iawn iddi hi a'i theulu oherwydd bu ei hen daid, Robert Davy Williams, yn aelod o'r Orsedd. Fel cyd-ddigwyddiad, y pnawn hwnnw wrth iddi dderbyn y tlws, roedd ei thad a chwaer ei nain, Ida Taylor, ymysg yr Orsedd oedd yn ymgynnull ar y llwyfan ar gyfer seremoni'r cadeirio.

Mae Esyllt yn gefnogol iawn i'r Tŷ Gwerin sydd wedi ei sefydlu ar faes yr Eisteddfod. Yn ei thyb hi, mae'n hynod bwysig i bawb gael blas ar ganu gwerin traddodiadol Cymru a hynny mewn awyrgylch hamddenol a hwylus.

Ond rwyf hefyd yn credu'n gryf bod angen parhau i gael llwyfan i ganu gwerin ar brif lwyfan ein prifwyl. Mae hynny'n rhoi statws i'r grefft ac, yn y pen draw, canu gwerin a cherdd dant yw traddodiad a'n treftadaeth gynhenid ni fel Cymry.

62. Steffan Rhys Hughes

Sir Fynwy a'r Cyffiniau: 2016

Caneuon: 'Gwenno Penygelli' a 'Dod dy Law'
Beirniad: Elen Rhys a Jennifer Clarke
(gweler 61, tudalen 159)

63. Edryd Williams

Ynys Môn: 2017

Caneuon: 'Ddaw Hi Ddim' a 'Bachgen Ifanc Ydwyf'
Beirniaid: Einir Wyn Williams, Delyth Medi, Eleri Roberts
(gweler 45, tudalen 128)

64. Emyr Lloyd Jones

Caerdydd: 2018

Caneuon: 'Cân y Cardi' a 'Titrwm Tatrwm'
Beirniad: Rhiannon Ifans, Leah Owen, Pat Jones, Caryl Ebenezer

Ganed Emyr yn 1996 ac fe'i magwyd yn y Bontnewydd, ger Caernarfon. Bu'n ddisgybl yn Ysgol Gynradd Bontnewydd lle ddechreuodd gael gwersi llefaru a'r corned. Dyma ymhle hefyd y dechreuodd gystadlu mewn eisteddfodau lleol ac Eisteddfodau'r Urdd. Pan oedd yn saith oed, ymunodd â Chôr Ieuenctid Glanaethwy, a bu'n aelod o Ysgol Glanaethwy tan 2016. Datblygodd ei ddiddordeb mewn cerddoriaeth wrth iddo astudio'r pwnc tra oedd yn ddisgybl yn Ysgol Uwchradd Syr Hugh Owen, Caernarfon, dan arweiniad Beti Rhys Roberts. Yn 2016, dechreuodd ar gwrs gradd mewn cerdd yng Ngholeg Cerdd Brenhinol y Gogledd ym Manceinion. Mae yn ei drydedd flwyddyn o bedair ac yn arbenigo mewn canu clasurol.

Dywed Emyr:

Fel myfyriwr sy'n astudio'r llais a chanu clasurol yn bennaf, rwyf yn dysgu canu mewn arddull sydd yn hollol gyferbyniol i'r arddull sydd ei hangen i ganu alawon gwerin. I mi, mae canu gwerin yn rhyddhad o'r rheolau llym sy'n gymaint rhan o ganu clasurol. Ers symud o Gymru i fynd i'r Coleg ym Manceinion, gwerthfawrogaf ganu gwerin fwyfwy oherwydd y cyfle a gaf i arddangos ein hetifeddiaeth gerddorol unigryw i'm cyd-fyfyrwyr o bob cwr o'r byd. Wrth ganu ac esbonio alawon gwerin iddynt, mae'n gwneud i mi deimlo hyd yn oed yn fwy gwladgarol.

Pan oeddwn i'n 16 oed, fe ddechreuais wersi unigol gyda Cefin Roberts yn ystod fy amser yng Nglanaethwy. Bryd hynny, dechreuais gystadlu yng nghystadlaethau gwerin Eisteddfodau'r Urdd a'r Genedlaethol. Mae gan Cefin y ddawn i ddadansoddi'r stori sydd wrth wraidd pob cân ac

wedyn i'w throsglwyddo i'w ddisgyblion. Dysgais gymaint ganddo – mae'n un o'r goreuon yn ei faes. Mae fy nyled broffesiynol yn fawr iddo. Pan ddaeth hi'n amser cofrestru a pharatoi am y Genedlaethol, penderfynais gystadlu am Wobr Goffa Lady Herbert Lewis er imi fod yn newydd i'r gystadleuaeth. Roedd y syniad o orfod dewis a pharatoi dwy gân wrthgyferbyniol yn lle un darn gosod yn apelio'n fawr.

162

Cynigiodd hyn ryddid imi ddewis unrhyw gân araf a dwys, ac unrhyw gân gyferbyniol i hynny. I mi, mae'n rhwyddach dewis cân drist a llyfn na dewis un sy'n cyferbynnu iddi. Yn, wahanol i'r drefn fwyaf arferol, dewisais alaw hapus a chyffrous yn gyntaf ac un drist i ddilyn. Yr un lon oedd 'Cân y Cardi' – cân yn llawn direidi a hapusrwydd ac sydd yn un o'm ffefrynnau. Yna dewisais 'Titrwm Tatrwm', cân a genir gan ŵr o Fôn sydd oddi cartref yn hiraethu am ei gariad, Gwen. Mae hon yn gân hollol brydferth ac rwyf yn hoff iawn o'r alaw ddigalon i bortreadu anhapusrwydd y dyn. Hon oedd y flwyddyn gyntaf i mi fod o fewn yr oedran – dros un ar hugain – i fentro ar y gystadleuaeth hon. Cefais gryn syndod o ennill y fath anrhydedd a minnau mor ifanc. Bu'n brofiad anhygoel a bythgofiadwy!

Fel Cefin, mae Emyr yn credu bod canu alawon gwerin yn cynnig cyfle i'r canwr gymeriadu trwy actio a chanu'r un pryd ac i'r artist deimlo'r gân, nid yn unig ei pherffformio. Mae Emyr yn credu'n gryf y dylid parhau i roi lle dyledus i'n traddodiad canu gwerin digyfeiliant ar lwyfannau ein gwyliau cenedlaethol.

O safbwynt adloniant, credaf hefyd mewn arbrofi. I'r perwyl hwn, hoffaf wrando ar gerddoriaeth sy'n gymysgedd o'r traddodiadol a *genre* gwahanol megis jazz neu pop. Yn fy nhyb i, mae hyn yn creu ffresni a chyffro sy'n denu cynulleidfaoedd ehangach i fwynhau ein halawon gwerin traddodiadol. Gwerthfawrogaf y cyfle a roddir yn Nhŷ Gwerin yr Eisteddfod Genedlaethol i artistiaid arbrofi fel hyn ac i gynulleidfaoedd amrywiol eu clywed a'u mwynhau.

RHAN 2

Hanes y Fonesig Ruth Herbert Lewis, 1871–1946

(i) Hanes ei dau blentyn:
Alice Catherine ('Kitty') a Herbert Mostyn

Priododd Ruth Caine (1871-1946) a John Herbert Lewis (1858-1933) yn 1897. Hon oedd ail briodas Herbert. Ei wraig gyntaf oedd ei gyfnither, Adelaide Hughes (1863-95) o Wrecsam, un o deulu'r cwmni cyhoeddi pwysig, Hughes a'i Fab. Ni chawsant blant. Bu ei marw disymwth yn 31 oed, naw mlynedd wedi iddynt briodi, yn ergyd drom iawn i Herbert. Mae'r adroddiadau yn y papurau newydd am ei hangladd yn dangos dyfnder ei golled. Meddai un gohebydd: 'It has been my lot to attend the funeral obsequies of many, but up to this moment I never witnessed such affecting and touching scenes as those enacted at the graveside by the bereaved husband.'

Ganed dau o blant i Ruth a Herbert Lewis, sef Alice Catherine (1898-1984) a Herbert Mostyn (1901-85). Magwyd y ddau blentyn yn rhannol yn Llundain (lle'r oedd eu tad yn aelod seneddol), ac yn rhannol yng nghartref y teulu ym Mhenucha, Caerwys.

Derbyniodd **Alice Catherine** (neu 'Kitty' fel y'i gelwid) ei haddysg yn Clapham High School yn Llundain ac yna yng Ngholeg Prifysgol Cymru, Aberystwyth (1916-20), yng Ngholeg Selly Oak, Birmingham, a Phrifysgol Grenoble yn Ffrainc (1921). Yn 1922 aeth i weithio ar faes cenhadol y Methodistiaid Calfinaidd Cymreig yn Lushai (Mizoram erbyn hyn) yng ngogledd-ddwyrain yr India, ond dychwelodd yn 1925 wedi i'w thad gael damwain difrifol.

Dau fis cyn marwolaeth ei thad yn 1933, priododd Kitty yng Nghaerwys â'r addysgydd o Ben-clawdd, Idwal Jones (1899-1966), a oedd ar y pryd yn ddarlithydd yn yr Adran Addysg yng Ngholeg Prifysgol Abertawe. Yn Abertawe y ganed eu tri phlentyn, **Alice Nest (1934), Olwen (1936)** a **David Herbert (1938)**. Yn 1939, symudodd y teulu i Aberystwyth pan benodwyd Idwal Jones yn Athro Addysg yng Ngholeg y Brifysgol yno. Fel y nododd yr Athro Bobi Jones (yn *Y Bywgraffiadur Cymreig, 1951-1970*, Llundain 1997), Idwal Jones 'oedd yn gyfrifol am roi cychwyn swyddogol ar ddysgu pwnc heblaw'r Gymraeg drwy gyfrwng y Gymraeg ym Mhrifysgol Cymru'. Iddo ef, meddai, y mae llawer o ddiolch 'fod y Gymraeg wedi datblygu fel cyfrwng dysgu safonol a chydnabyddedig yn y Brifysgol'. Roedd Kitty Idwal Jones hithau yn frwd ei chefnogaeth i'r diwylliant Cymraeg. Nid syndod deall, felly, fod eu plant, Olwen a David, yn ddisgyblion yn yr ysgol gynradd gyfrwng Gymraeg gyntaf, a sefydlwyd yn Aberystwyth yn 1939 gan Urdd Gobaith Cymru, dan arweiniad y pennaeth ysbrydoledig, Miss Norah Isaac.

Pob gwyliau byddai teulu Kitty yn ymweld â'i mam ym Mhenucha ac yn dilyn marwolaeth Ruth yn 1946, symudodd Kitty a'r teulu i fyw ym Mhenucha, ond gan gadw'r tŷ yn Aberystwyth hyd ymddeoliad ei gŵr yn 1960. Ar ôl symud i Benucha, bu Nest ac Olwen yn ddisgyblion mewn ysgol fonedd i ferched (Ysgol Howells, Dinbych), tra addysgwyd David mewn ysgol fonedd i fechgyn (Ysgol Bromsgrove yn swydd Gaerwrangon).

Bu farw Idwal yn 1966 a Kitty yn 1984 ac fe gladdwyd llwch y ddau yn Amlosgfa Bron-y-nant, Bae Colwyn. Mae Nest (Price) a'i theulu yn parhau i fyw ym Mhenucha hyd heddiw. Treuliodd Olwen (Foreman) ei bywyd priodasol yng Nghaergrawnt, yn y Bala ac yn Sir Fôn. Ers tair blynedd, bellach, mae hi'n byw yn Lerpwl. Yn Llundain y mae eu brawd, David Herbert, wedi ymgartrefu.

Derbyniodd **Herbert Mostyn**, ail blentyn Ruth a Herbert Lewis, ei addysg yn Ysgol Westminster yn Llundain ac yn Ysgol Gresham yn Holt, gan raddio mewn Llysieueg o Brifysgol Caeredin. Aeth yn ei flaen wedyn i astudio yn Ysgol Gelf Courtauld. Enillodd ddoethuriaeth ym maes celf a chyhoeddodd lyfr pwysig ar ffenestri lliw yng ngogledd Cymru. Bu'n ddarlithydd yng Ngholeg Technegol Wrecsam. Ar sail ei wybodaeth eang, daeth yn gyfrannwr cyson i raglenni cwis ar y radio a'r teledu, gan gyrraedd rownd derfynol cystadleuaeth *'Brain of Britain'* yn 1969. Priododd yn 1932 ac ymgartrefodd gyda'i briod, Gwen, yng Ngresffordd ger Wrecsam lle y ganed iddynt ferch, **Ruth Margaret Lewis**, yn 1934. Enwyd hi ar ôl ei nain. Addysgwyd Ruth, mewn ysgol fonedd i ferched (Ysgol Wycombe Abbey, High Wycombe) ac yng Ngholeg y Drindod, Dulyn. Dyna'r union brifysgol a fynychodd ei nain (Ruth Caine) pan wrthododd Prifysgol Caergrawnt roi graddau i ferched.

Bu'n rhaid i Ruth Caine aros tan 1906 i dderbyn ei graddau, B.A. ac M.A. gan Goleg y Drindod, Dulyn, ar sail y dystysgrif a roddwyd iddi yng Nghaergrawnt.) Bu farw Mostyn yn 1986 a'i briod, Gwen, flwyddyn yn ddiweddarach. Mae'r ddau'n cydorwedd yn yr un fangre â'i fam a'i dad ef, ym mynwent y Ddôl yn Afon-wen, ger Caerwys. Erbyn hyn, mae Ruth a'i phriod, Roger Facer, a'u tair merch yn byw yn Waterlooville, Hampshire.

Bu farw Herbert Lewis cyn genedigaeth ei wyrion, Fodd bynnag, treuliodd y pedwar gryn amser yng nghwmni eu nain yn ystod eu blynyddoedd cynnar, hyd at ei marwolaeth yn 1946. Mae atgofion yr wyrion am eu nain yn dod yn bennaf o gyfnod yr Ail Ryfel Byd.

(ii) Atgofion ei hwyrion:
Nest, Ruth, Olwen a David

Alice Nest Idwal-Jones (g. 1934)

Mae gennyf atgofion gwerthfawr ac annwyl iawn am fy nain, Ruth Lewis. Roedd hi'n un o'r grŵp bychan o wragedd dylanwadol a ddaeth i'r amlwg ar droad yr ugeinfed ganrif.

Magwyd fy nain yn Lerpwl gan rieni craff, a oedd yn benderfynol o sicrhau i'w tair merch yr addysg a'r profiad o fywyd ehangaf posibl. Teithiodd yr hynaf, **Hannah** (Arglwyddes Clwyd), o gwmpas y byd gyda'i thad. Yn ôl pob sôn, hi oedd y ddynes wen gyntaf i lawer o bobl Japan ei gweld erioed. Daeth **Dora**'n un o'r benywod cyntaf i gymhwyso i fod yn feddyg. Anfonwyd **Ruth** i Gaergrawnt lle graddiodd ag M.A. Yna, cyfarfu â 'nhaid, Herbert Lewis, a oedd yn un o'r Aelodau Seneddol Rhyddfrydol ifainc a brwdfrydig a oedd yn benderfynol o roi Cymru ar y blaen. Ymhlith y grŵp hwn, yr oedd Lloyd George a Tom Ellis.

Priododd fy nhaid a nain yn 1897, a gorfu i nain ymgynefino â byw yn Llundain yn ystod tymhorau'r hydref a gaeaf, pan fyddai'r Senedd yn eistedd, a phreswylio ym Mhenuchaf yn ystod tymor yr haf. Gwrthododd fy nain ymddwyn fel gwraig gonfensiynol i Aelod Seneddol. Ni hoffai ymddangos yn y Llys Brenhinol a'r unig esgus derbyniol i fod yn absennol oedd bod yn feichiog, ac felly defnyddiodd nain yr esgus hwnnw'n aml! Ni hoffai ychwaith foreau coffi a mân siarad, ond roedd wrth ei bodd yng nghanol cynnwrf gwleidyddiaeth a gwaith yr etholaeth. Hi fyddai'n gwarchod yr etholaeth tra byddai Lloyd George yn denu fy nhaid ar deithiau ledled y byd.

Ar y pryd roedd adfywiad diddordeb mewn materion diwylliannol yng Nghymru ac ymunodd nain â mintai fach ond brwdfrydig iawn o bobl a oedd â'u bryd ar geisio diogelu caneuon gwerin Cymraeg. Gyda chymorth y ffonograff, oedd yn ddyfais newydd sbon a chwbl arloesol, teithiai Ogledd Cymru gyda'i thrap a'i merlen (Seren), gan gasglu caneuon a oedd mewn perygl o ddiflannu i ebargofiant. Gwnaeth un o'i darganfyddiadau mwyaf nodedig yn nhloty Treffynnon. Yno, canodd hen wreigan o'r enw Jane i mewn i'r ffonograff, gan ei rhybuddio'i hun cyn dechrau canu: 'Rhaid i mi beidio rhoi 'nhrwyn ynddo fo'!

Yn fy marn i, bu'n rhaid i nain ddysgu Cymraeg er mwyn cael ei derbyn ond ni fu erioed yn gyffyrddus yn yr iaith ac ni ddaeth fyth yn rhugl. Roedd ei chyfraniad yn hanfodol i Gymdeithas Alawon Gwerin Cymru gan fod ganddi gyfeillion dylanwadol ac ariannog. Roedd hefyd yn ffrindiau â cherddorion hynod megis Morfydd Llwyn Owen. Gofalodd nain am Morfydd pan symudodd o Gymru i Lundain, gan ei chyflwyno i bobl a allai hyrwyddo'i gyrfa. Fel mae'n digwydd, fe'i cyflwynodd, hefyd, i'w gwniadwraig a'r ferch oedd yn trin ei gwallt. Yn ôl nain, edrychai Morfydd yn debycach i sipsi ddeniadol nag i gerddor o fri pan gyrhaeddodd Llundain gyntaf.

Fy nghyswllt cyntaf â'r Chymdeithas Alawon Gwerin Cymru oedd drwy roi hysbysiadau ynghylch cyfarfodydd, fel y Cyfarfodydd Cyffredinol Blynyddol, mewn amlenni a glynu stampiau ar yr amlenni. Bûm, hefyd, pan nad oeddwn ond yn wyth oed, yn 'aelod o bwyllgor' yn Aberystwyth. Nid oes gennyf unrhyw syniad yn y byd pam roedd angen fy mhresenoldeb! Cofiaf fod dau ddyn yno, Emrys Cleaver oedd un ohonynt, ynghyd â thua deuddeg o wragedd canol oed, a phob un yn gwisgo het a chôt ffwr! Rwy'n credu mai yn nhŷ gweddw Tom Ellis y cynhelid y pwyllgor. Bydd rhai atgofion yn parhau am byth!

A minnau'n ddeuddeg oed, nid euthum i angladd fy nain ond cawson ni'r plant ein gwarchod yn Mrynywenallt, Abergele, gan fy modryb Hannah. Aethom am bicnic gwych i draeth Pensarn.

Roeddwn yn ffodus iawn o fy mherthynas agos â'm nain. Gan mai fi oedd yr hynaf, cefais y fraint a'r mwynhad o wrando arni'n hel atgofion eang a niferus. Yn sicr, cofiaf nad oedd yn un o edmygwyr Lloyd George! Roedd hi o'r farn ei fod yn defnyddio pobl er ei fantais ei hun. Fodd bynnag, roedd yn hael ei chlod i bobl ddidwyll oedd yn haeddu cael eu gwerthfawrogi. Cofiaf nain eithriadol a ffrind arbennig.

Ruth Margaret Lewis (g. 1934)

Pan feddyliaf am fy nain, yr argraff gyntaf sy'n dod i'm cof yw o hen wraig mewn dillad brown tywyll yn eistedd ar ryw fath o lwyfan yn edrych allan i'r ardd, â'i gwallt wedi'i gribo'n ôl mewn cocyn. Yno, byddai Richard, ei chorgi bach Cymreig, brathog yn gorwedd wrth ei thraed ac o'i blaen byddai bwrdd bach lle chwaraeai 'Patience' drosodd a throsodd!

Un o'i ffyrdd o'n diddanu ni'r plant oedd drwy wneud posau jig-so. Yn y parlwr ym Mhenucha, roedd cwpwrdd mawr lle cedwid y jig-sos. Gan mai dyna'r ystafell y bu fy nhaid farw ynddi, ni fyddwn byth yn mynd yno ar fy mhen fy hun.

Byddai nain yn ein diddanu ni'r plant mewn ffyrdd gwahanol. Yn rhinwedd ei swydd fel Ynad Heddwch, roedd ganddi bentyrrau diddiwedd o 'bapur cyngor sir'. Byddai'n ein hannog ni i dynnu lluniau ar faint a fynnem o'r taflenni!

Fy hoff gêm oedd 'Dodwy Ceiniog'. Hoffai nain gael cyntun bach ar ôl cinio. Bryd hynny, byddai'n fy siarsio i fod yn llonydd a thawel iawn. Pan fyddai'n deffro, byddai'n chwilio o dan fy nghadair gan ganfod imi Ddodwy Ceiniog! Byddai'r geiniog honno'n mynd i'm cadw-mi-gei, wrth gwrs!

Byddwn wrth fy modd yn mynd gyda nain i gasglu wyau. Roedd rhaid i ni fynd i chwilio'n ddyfal amdanynt gan na fyddai'r ieir bob tro'n dodwy yn y blychau nythu. Byddai nain wrth ei bodd yn cerdded drwy fwd! Cofiaf imi unwaith golli esgid mewn cors. Roedd mam yn anhapus iawn gan y byddai'n rhaid gwario mwy o gwponau i brynu pâr arall o esgidiau imi!

Un diwrnod, es i aros gyda fy *nanny*, a oedd wedi priodi un o weision fferm Penucha. Roeddent yn byw yn Ysgeifiog, pentref bach heb fod ymhell o Gaerwys. Gollyngodd awyren Almaenaidd ei bomiau ar y ffordd yn ôl o Lerpwl ond, yn ffodus, chwythodd y gwynt rym y ffrwydrad oddi wrth y pentref ac ni chafodd neb ei anafu. Fodd bynnag, roedd nain wedi cynhyrfu'n lân ac aeth â mi'n syth yn ôl i Benucha er mawr siom i mi.

Nid chofiaf iddi fod yn un arbennig am roi mwythau i ni'r plant ond roeddwn i'n ei charu'n fawr iawn.

Olwen Idwal-Jones (g. 1936)

Roedd nain yn hen wraig erbyn i mi ddod i'w hadnabod, yn llond ei chroen ac yn gwisgo dillad hen ffasiwn. Roedd ganddi doreth o wallt gwyn ar dop ei phen lle byddai'n cadw'i sbectol fach, fetel. Er hynny, byddai fyth a hefyd yn colli'i sbectol a byddwn innau'n smalio chwilio amdani am ychydig ac yna'n cyhoeddi'n llawen, 'Ma' hi ar dop eich pen chi, nain!'

Yn wahanol i Nest, fy chwaer, a'm cyfnither, Ruth, nid oedd nain a minnau'n siarad fawr â'n gilydd. Wn i ddim hyd heddiw pam, ond credaf mai un rheswm oedd fy mod i'n llawer mwy cyffyrddus yn siarad Cymraeg, fel y gwnawn â'm rhieni ac yn yr ysgol, a doedd nain ddim yn rhugl.

Roedd hi'n benderfynol fod rhaid i mi ddeall pa mor freintiedig yr oeddwn a sut le oedd y byd go iawn. Felly, mynnodd fy mod yn ymuno â hi ar un o'i hymweliadau cyson i wrando ar rai o drigolion tloty Treffynnon yn canu hen alawon. Yno, caem ein trin fel tywysogesau wrth i'r staff ein harwain o gwmpas yr adeilad moel, llwm, glan-wyn. Dyna lle'r oeddwn i, yn blentyn mewn côt a het foethus, yn gweld dynes dlawd iawn ar ei gwely angau. Roedd nain yn mynnu 'mod i'n deall pa mor fanteisiol oedd ein bywyd ni a pha mor ffodus yr oeddwn. Doedd hi byth yn traethu i sicrhau 'mod i'n mewnoli'r wers, roedd yn brofiad a arlwyodd i mi yn dweud y cyfan. Adeg arall, aethom ill dwy i felin wlân Treffynnon. Roedd hwn hefyd yn brofiad brawychus, y gwyddau i gyd yn clegar, y dadwrdd a'r llwch. Yno, roedd haid o ferched truain yn gweithio oriau diddiwedd, ddydd ar ôl dydd, wythnos ar ôl wythnos.

Ar achlysur arall – ac roedd hyn yn fwy o hwyl – aethom i Lys Barn yr Wyddgrug. Roedd nain yn Ynad Heddwch, ac unwaith eto fe gawsom ein trin yn dywysogaidd. Eisteddai hithau'n uchel ar y Fainc ac eisteddwn innau ar sêt isel, bron o'r golwg. Roedd un o'r achosion yn ymwneud â chiper o ystâd fawr a oedd wedi mynnu tynnu rhyw botsiar druan i'r llys am ddwyn dwy gwningen. Roedd Nain o'i cho' a dywedodd yn ddiflewyn-ar-dafod wrth y ciper ei fod yn gwastraffu amser y llys. Diddymodd yr achos, a sicrhaodd fod y tirfeddiannwr cyfoethog yn deall ei hanfodlonrwydd.

Nid wyf erioed wedi anghofio'r ymweliadau hynny a'r gwersi clir a ddysgais ganddi pan oeddwn yn ifanc iawn, tua saith oed efallai.

Atgof byw iawn arall sydd gennyf yw cerdded i mewn i'r stydi lle'r oedd Nain a mam yn gwrando ar y newyddion ac yn crio'n hidl. Bomio Dresden oedd dan sylw, y ddinas hardd honno oedd yn llawn trysorau. Nid oeddwn erioed wedi gweld oedolyn yn crïo cyn hynny. Wrth fyfyrio ar hyn droeon, sylweddolwn pa mor hanfodol oedd celf a phethau cain i'r ddwy ohonynt. Nid yn unig hynny ond fe laddwyd cynifer o bobl, hefyd.

Cofiaf i nain ein harwain i fyny i Fynydd Helygain i weld Lerpwl ar dân a thro arall i weld llewyrch gwan yn yr awyr ymhell bell i ffwrdd dros ddinas Coventry.

Trwy gydol y rhyfel, trefnodd nain i lyfrgelloedd-benthyca anfon jig-sos a llyfrau drwy'r post iddi o Lundain. Roeddem ni'r plant yn mwynhau clywed y rhybuddion ynghylch cyrchoedd awyr. Byddem yn cropian o dan y bwrdd mahogani trwm a orchuddiwyd â lliain bwrdd *chenille* trwm a hir iawn. Roedd yn guddfan hyfryd ac yn lle braf i fwyta bisgedi cracer â siwgr arnynt.

Roedd Nain yn storïwraig dda iawn – wrth adrodd chwedlau, straeon gwerin, y goruwchnaturiol – ac, yn wir, roedd ganddi ei hysbryd bach ei hun ym Mhenucha, y *'Poltergeist'*. Hwnnw oedd yn gyfrifol am bopeth a fyddai'n mynd ar goll neu o'i le. Byddwn yn credu'r stori hudol heb unrhyw ofn.

Mae gen i gof byw iawn am un Nadolig pan aethom i gyd i'r neuadd. Yna chwaraeodd nain ei thelyn, canodd y trigolion nerth eu pennau ac ymunodd Wncl Mostyn â'i lais nerthol. Buom yno'n mwynhau pob eiliad o ganu carolau, caneuon gwerin ac emynau, yn union fel y buasai hi ym Mhenucha drwy'r blynyddoedd.

Roeddem i gyd yn hiraethu am nain wedi iddi farw. Roedd yn gyfuniad prin o wraig gynnes, hynod addysgedig a diwylliedig ac iddi galon hael ac ymagwedd agored, gonest a didwyll.

David Herbert Idwal-Jones (g. 1938)

Yr atgof mwyaf byw sydd gennyf o nain yw iddi ofyn i mi, pan oeddwn yn fachgen bach, i ddweud wrth fy mam, a oedd ochr draw i'r lawnt, bod y cynghreiriaid wedi cipio Paris. Nid oedd gennyf syniad beth a olygai hynny ond o ystyried ymateb fy mam, ymddangosai'n newyddion cyffrous iawn. Ymhlith yr atgofion eraill sydd gennyf o gyfnod y rhyfel, mae clywed grwnian awyrennau bomio'r Almaenwyr uwch ein pennau ar eu ffordd i neu o Lerpwl. Fe'm tarodd flynyddoedd lawer yn ddiweddarach eu bod, efallai, yn chwilio am y ffatri nwy gwenwynig yn Rhyd-y-mwyn.

Byddai nain yn dylanwadu arnaf i eistedd yn llonydd a distaw yn y stydi drwy addo y byddwn yn ennill ceiniog! Byddwn yn gwario fy ngheiniogau ar fananas pan ddychwelodd y rheini ar ôl y rhyfel. Yn aml, eisteddai nain o flaen y tân yn chwarae *'Patience'* neu'n gwneud jig-sos.

Roedd ganddi gorgi Cymreig annymunol ac anghyfeillgar – ac mae hynny'n ddisgrifiad caredig o ystyried ei natur! Ei enw oedd Richard.

Yn fachgen bach, dysgais yn gyflym mai'r peth callaf oedd peidio â mynd yn agos ato ac, yn sicr, i beidio â meddwl ceisio *chwarae* ag ef. Byddwn yn canolbwyntio ar gadw fy nghoesau'n gwbl lonydd a diogel o dan y lliain bwrdd *chenille* neu fe fyddai wedi fy mrathu'n ddidrugaredd.

Roedd Bob, a drigai gyda'i deulu ym Mryn Hyfryd, yn ffarmwr a hefyd yn gweithredu fel *chauffeur*. Cofiaf fynd i Dreffynnon gyda nain pan âi i gyfarfodydd Cyngor Sir y Fflint.

Pan oedd nain ar ei gwely angau, fe'm hanfonwyd i aros am ychydig wythnosau gyda theulu oedd yn byw yn Frith Cottages, gan fy mod, mae'n debyg, yn fachgen bach digon direidus a swnllyd.

Ar ôl i nain farw, cofiaf fwynhau chwarae gyda silindrau cwyr y ffonogram. Pan oeddent allan o'u blychau, gwnaent flociau adeiladu gwych! Mae gen i ofn imi dorri un neu ddau ohonyn nhw. Yna penderfynodd mam eu hachub a'u hanfon i Amgueddfa Werin Cymru.

RHAN 3

Rhagor o Atgofion

(i) Kitty Idwal Jones gan ei merch

Roedd Mami – ein mam, Kitty Idwal Jones – yn un o'r personau mwyaf diwylliedig a diddorol a adnabûm erioed. Ar hyd ei hoes roedd hi'r un mor rhugl yn y Gymraeg a'r Saesneg – gwnaeth ei thad yn sicr o hynny, er iddynt dreulio cymaint o amser yn Llundain. Byddai bron bob amser yn siarad Cymraeg â'i thad pan fyddent ar eu pennau eu hunain a Saesneg â'i mam. Roedd ganddi athrawes gartref nes oedd hi'n ddigon hen i fynd i'r Clapham High School for Girls. Dysgai Dora Herbert Jones, ysgrifenyddes fy nhaid, Gymraeg iddi ar ôl ysgol.

Prynai fy mam lyfrau'n rheolaidd yn y ddwy iaith, yn enwedig barddoniaeth newydd. Wrth iddi heneiddio, pan arhoswn gyda hi ym Mhenucha, âi â fi'n syth i fyny i'w hystafell i ddangos y llyfrau diweddaraf a brynasai. Roeddent yn cynnwys cyhoeddiadau arbennig o Wasg Gregynog, hen argraffiadau cyntaf a llyfrau celf sgleiniog hardd. Byddai'n aml yn eu rhoi i mi. Pan oeddwn yn byw yng Nghaergrawnt, byddwn yn prynu llyfrau diddorol, catalogau arddangosfeydd ychwanegol a chardiau darluniadol iddi bob tro y byddwn yn ymweld â Llundain. Yna byddwn yn eu postio ati ym Mhenucha.

O 1918 i 1921, bu mam yn astudio ar gyfer gradd yn y Gymraeg yng Ngholeg Prifysgol Cymru, Aberystwyth. Derbyniodd adroddiadau rhagorol gan ddau o feirdd ac ysgolheigion amlycaf y cyfnod, sef T. H. Parry-Williams a T. Gwynn Jones.

Ar ôl cyfnod yn gweithio ymhlith y tlodion yn Llundain, teimlai'r angen i adael ei hen fywyd a dechrau o'r newydd. Roedd gan ei thad, Syr John Herbert Lewis, a'i thaid, Enoch Lewis, ill dau'n wleidyddion Rhyddfrydol, ddiddordeb mawr yn yr India. Yn sgil ffydd grefyddol gref ei thad, roedd yn anochel y byddai mam yn genhades. Ym 1922, teithiodd i Lushai yng Ngogledd-ddwyrain eithaf yr India, ger Byrma. Roedd gorsaf genhadol Fethodistaidd Galfinaidd Gymreig wedi'i sefydlu yno ers tro byd, ac yn cynnwys ysgol ac ysbyty. Roedd mam wrth ei bodd â'r ardal fynyddig ac anghysbell hon. Yn rhai o'r mannau mwyaf pellennig hyn, hi oedd y wraig wen gyntaf i'r bobl ei gweld, a charent fwytho ei gwallt hir a golau iawn.

Sefydlwyd y gwaith cenhadol Cymreig yno ers amser maith, ac roedd mam wedi sefydlu perthynas dda gyda llawer o'r cenhadon pan ddeuent adref i Gymru. Roedd ganddi ddiddordeb gwirioneddol yn iaith, crefyddau a diwylliant pobl Lushai. Roedd hi hefyd yn sensitif i'r ffaith fod rhaid cyflwyno Cristnogaeth i'r bobl hyn mewn ffordd a fyddai'n gwella'u bywydau. Golygai hynny iddi gyflwyno gofal iechyd ac addysg iddynt ac ar yr un pryd ymdrechu'n galed i'w galluogi i gadw eu hen draddodiadau. Dysgodd yr iaith a gwnaeth lawer o gyfeillion wrth deithio i ardaloedd gwyllt ac anghysbell yn y mynyddoedd. Lledaenodd y sôn amdani a byddai penaethiaid y pentrefi yn ei chroesawu a deuai pobl ynghyd i wledda a dathlu ei hymweliad. Byddai mam yn dysgu emynau Cymraeg iddynt ac yn pregethu ychydig, a byddai pawb yn ymhyfrydu yng nghwmni ei gilydd. Byddai'n aml yn aros y nos yn nhŷ'r pennaeth a byddai yntau'n ei hebrwng i'r pentref nesaf i gyfeiliant curo drymiau lawer.

Er tristwch, daeth y cyfan i ben yn ddisymwth yn 1925 pan dderbyniodd y newyddion fod ei thad wedi cwympo mewn chwarel ger Aberystwyth ac wedi'i anafu'n ddifrifol. Roedd wedi'i barlysu ac wedi'i gludo adref i Blas Penucha. Dechreuodd mam yn syth ar drefnu ei thaith yn ôl at ei hannwyl dad. Bu ganddynt berthynas agos, gariadus ac arbennig iawn erioed. Cychwynnodd ar daith epig i lawr afonydd llifeiriol ar draws yr India. Yna teithiodd mewn trên, mewn llong i Ffrainc, trên arall a llong eto ar draws y Sianel i fod wrth ochr ei hannwyl dad yn hafan Penucha.

Cafodd mam hi'n anodd dod i arfer â'i hen fywyd. Roedd wrth ei bodd yn ymweld â'i modryb Hannah (chwaer ei mam, Arglwyddes Clwyd). Cafodd ei difetha â dillad hardd ganddi. Parhaodd y cyfeillgarwch agos hwn hyd at farwolaeth Hannah. Cyfarfu hefyd â rhai o'i hen ffrindiau o'r coleg, ond roedd angen mwy arni.

Roedd yn gyfnod anodd iawn yng Nghymru ar y pryd, ar ddechrau'r dirwasgiad, ac roedd glowyr heb waith nac arian. Roedd mam yn ymwneud â Chyngor Myfyrwyr Cymru ac yn sylweddoli y byddai'n rhaid i'r rhan fwyaf o'r myfyrwyr adael y brifysgol gan na allai eu tadau bellach dalu am eu lle. Yn wir, roedd llawer yn gwbl ddiymgeledd.

Penderfynodd mam wneud y gorau o gysylltiadau ei thad gan wybod y byddai pobl yn ei pharchu ac yn gwrando arni. Felly penderfynodd fynd ar daith drwy ogledd-ddwyrain America ar ei phen ei hun, gan deithio ar y trên ac aros yn nhai pobl. Nid adwaenai neb yno. Fodd bynnag, cynlluniodd y daith yn fanwl, gan wneud rhestri o bobl i ymweld â hwy, trefi i aros ynddynt a'r rheilffyrdd oedd yn eu cysylltu. Yn ffodus, cadwodd nodiadau o'r antur ryfeddol hon ar ei phen ei hun. Mae'n hynod ddiddorol eu darllen, gan eu bod yn cynnwys amserau'r trenau, prisiau, a'r symiau a gasglodd. Bu'n annerch cymdeithasau Cymreig.

Gan fod y Dirwasgiad hefyd yn dechrau effeithio ar America, ni chasglodd gymaint ag y gobeithiai. Fodd bynnag, roedd yn ddigon i gynorthwyo ag addysg nifer sylweddol o fyfyrwyr. Cyflwynais y blwch hwn o bapurau i Lyfrgell Genedlaethol Cymru, gyda mynediad ato wedi'i gyfyngu. Roedd ynddo gymaint o geisiadau ingol am gymorth gan lowyr balch. Mae hefyd yn cynnwys llythyrau diolch teimladwy am y symiau cymharol fach o arian a gawsant. Dengys y llythyrau fod y cyfraniadau hyn o gronfa fy mam wedi gwneud cryn wahaniaeth i'w bywydau.

Un arall o ddiddordebau mawr fy mam oedd y gwasanaeth gwirfoddol dros heddwch. Roedd cyfaill agos iddi, George M. Ll. Davies, yn flaenllaw yn y mudiad heddwch yng Nghymru a'i ganolfan ryngwladol. Roedd mam yn ei edmygu'n fawr. O ganlyniad, cynorthwyodd i sefydlu gwersylloedd haf ar gyfer glowyr di-waith a'u teuluoedd. Roedd y Dirwasgiad wedi effeithio'n drwm ar gymoedd De Cymru, yn enwedig Bryn-mawr. Penderfynwyd cynnal gwersyll yn Rhosllannerchrugog, yn yr ardal lofaol ar gyrion Wrecsam. Aeth mam i gynorthwyo i redeg y gwersyll, ac yno y datblygodd cyfeillgarwch a oedd ymhlith y pwysicaf yn ei bywyd. Lletyai yn nhŷ rheolwr y lofa a'i wraig, dau o bobl arbennig a edmygai'n fawr.

Parhaodd i gefnogi'r mudiad mewn gwahanol ffyrdd. Un dull oedd drwy brosesu stampiau. Yn ystod y rhyfel, cyrhaeddai amlenni mawr yn llawn o stampiau wedi'u defnyddio, rhai Prydeinig gan mwyaf. Byddai stampiau Ffrengig, stampiau o'r Swistir a stampiau o drefedigaethau Prydeinig ledled y byd yn cyrraedd hefyd. Byddem yn eu didoli ac yn eu pecynnu i'w hanfon at Stanley Gibbons, cwmni mawr oedd yn prynu stampiau i'w gwerthu ar gyfer y mudiad heddwch. O oedran cynnar iawn, roeddwn wrth fy modd â stampiau, ac ymhellach ymlaen bûm yn eu casglu'n eiddgar. Dyna sut y gwariwn fy holl arian poced. Felly roeddwn wrth fy modd yn cynorthwyo â'r gwaith. Byddai'n rhaid stemio rhai stampiau oddi ar yr amlenni ond byddai'r rhan fwyaf wedi'u trimio'n daclus fel bod y stamp yn berffaith. Adeiladais gasgliad gwych o stampiau o'r Swistir, Ffrainc a Chanada ac o ymron bob trefedigaeth yn y byd.

Nid oedd mam yn hapus iawn yn byw yn Aberystwyth a phob gwyliau byddai'n dychwelyd i Benucha. Roedd fy mrawd, David, a minnau ymhlith y disgyblion cyntaf yn Ysgol yr Urdd, Aberystwyth. Hon oedd yr ysgol Gymraeg gyntaf, ac agorodd ym 1939 dan ei phrifathrawes ysbrydoledig, Miss Norah Isaac. Pan fu farw ein nain yn 1946, dychwelodd y teulu i fyw ym Mhenucha. Roedd fy nhad, Idwal Jones, yn athro Addysg ym Mhrifysgol Aberystwyth, ac felly cadwasom ein tŷ yn Aberystwyth gan fod ei angen arno yn ystod y tymor.

Ym Mhenucha, trawsffurfiodd fy mam ei hun unwaith eto i fod yn ffermwraig, gan fwynhau ei lloi Ffrisian. Yn ffodus, darllenodd fy nhad fod ceffyl gwaith yn bwyta cymaint â phum buwch, ac felly gadawodd y ddau geffyl anferth i bori a chyrhaeddodd tractor bach

'Fergi' hyfryd. Byddai cywion diwrnod oed yn cyrraedd ar y trên a chesglid llaeth o'r caniau llaeth mawr ar ben uchaf y dreif. Byddem i gyd yn cynorthwyo â pharatoi te cynhaeaf. Dyma oedd yr her anoddaf i mam gan na allai gymaint â berwi wy pan briododd!

Ni chysylltwyd Penucha â'r prif gyflenwad trydan tan ddiwedd y 1950au. Cyn hynny roedd gennym dyrbin a oedd yn cyflenwi golau ond nid yn pweru unrhyw beth arall. Fel arfer, nid oedd diesel ar gael ar gyfer y tyrbin ac, wrth gwrs, bu petrol yn cael ei ddogni am amser maith.

Drwy gydol ei hoes yn oedolyn, roedd mam yn aelod o Undeb Cymru Fydd. Gwnâi bopeth a allai i gefnogi iaith a diwylliant Cymru. Roedd wrth ei bodd ag eisteddfodau ac roedd crwydro o gwmpas Maes yr Eisteddfod gyda hi yn antur nad anghofiaf. Ni allai neb fod wedi caru Cymru'n fwy.

(ii) Herbert Mostyn Lewis gan ei ferch

Roedd fy nhad, Mostyn Lewis – dyn mawr, tew, blêr, â synnwyr digrifwch gwych – yn ŵr amryddawn. Yn deithiwr, darlithydd, garddwr alpaidd ac arlunydd, roedd wrth ei fodd â llên gwerin a chanu gwerin. Bu ganddo lu o ddiddordebau yn ystod ei oes faith. Ei gof cyntaf oedd bod yn eistedd ar ei bot gyda'i *nanny* yn canu iddo ar lawr isaf cartref y teulu yn Clapham Common, atgof y byddai wrth ei fodd yn sôn amdano! Yna, daeth dyddiau ysgol, ac fe'i hanfonwyd i Ysgol Westminster lle cafodd ei gansio o flaen yr ysgol (am flerwch, mi gredaf). Nid oedd fy nhaid, Syr Herbert Lewis, yn cymeradwyo hynny, a symudodd ei fab i Ysgol Gresham's yn Holt, lle bu'n hapus iawn. Pan ddaeth adref ar gyfer y gwyliau un tro, roedd Mostyn yn ddig iawn o ganfod bod ei ystafell wely yn Llundain wedi'i meddiannu gan ffrind ifanc ei fam, Morfydd Llwyn Owen. Roedd hithau'n gyfansoddwraig ifanc ddawnus iawn a gyfansoddodd gyfeiliannau i'r delyn ar gyfer llawer o'r caneuon gwerin a gasglodd fy nain ac a gyhoeddwyd mewn llyfr bach. Priododd Morfydd Ernest Jones, cofiannydd Freud, er siom i'm teulu – 'that swine' y galwai

Mostyn ef – a bu Morfydd farw'n drasig yng nghanol ei hugeiniau.

Yna daeth dyddiau prifysgol. Mostyn oedd y cyntaf i ennill gradd dosbarth cyntaf mewn Botaneg yng Nghaeredin. Cyn ceisio am unrhyw fath o swydd, teithiodd i'r India, yn gyntaf gyda'i rieni i fryniau Lushai yn Asám lle'r oedd ei chwaer, Kitty, yn genhades, ac yna teithiodd ymlaen i Tibet. Flynyddoedd yn ddiweddarach, byddwn innau ac yntau'n teithio i Fynyddoedd Himalaia, gan gasglu cerddoriaeth werin ar recordydd tâp y BBC, ynghyd â cherddoriaeth o fynachlog a lleiandy. Roedd y BBC yn fodlon iawn ar yr hyn gynhyrchon ni, gan ei gadw yn eu harchifau a chynnig swydd i mi. Heb fod yn hir ar ôl hynny, darlledodd y BBC gyfres o raglenni ynghylch casglwyr caneuon gwerin a oedd yn cynnwys Cecil Sharp ar gyfer Lloegr a'm nain ar gyfer Cymru, ac roeddem ninnau ymhlith y cyfranwyr. Soniodd fy nhad am hoffter ei fam o gerddoriaeth werin a'i llwyddiant fel casglwr a soniais innau amdani fel person, gan ddweud hefyd sut un ydoedd fel nain. Roedd fy nhad wedi mynd gyda hi ar sawl achlysur i recordio caneuon ar silindrau cwyr a bu'n canu llawer o'r caneuon ei hun. Roedd yn bendant iawn ar bwnc arddull ac yn condemnio pob dull modern – rhaid oedd canu cân werin yn yr hen ddull traddodiadol, neu ddim o gwbl!

Pan oeddent yn Llundain, addolai fy nhaid a'm nain yng Nghapel Charing Cross, adeilad a ddefnyddir erbyn hyn, gwaetha'r modd, ar gyfer adloniant. Cofiai fy nhad ferch fach â llygaid y dydd yn ei het; wedi iddi dyfu, gwelsant ei gilydd eto a syrthio mewn cariad – a phriododd Mostyn a Gwen. Yn Hen Golwyn y bu'r seremoni; gwisgai fy mam len deuluol hardd, yr un a wisgodd fy nain, y Fonesig Herbert Lewis, ar gyfer ei phriodas hithau, a chludai dusw o rosynnau cochion. Rhosynnau cochion fu gennyf finnau hefyd, ac mae fy ngŵr bob amser yn rhoi rhai i mi ar ben-blwydd ein priodas.

Y fi oedd eu hunig blentyn, ac wrth fy mwydo o'r botel ganol nos, dechreuodd fy nhad baentio, a chynhaliwyd arddangosfa o'i waith yn Llundain. Yn ystod y cyfnod hwn yn ei fywyd, agorodd Mostyn stiwdio ffotograffig o'r enw 'Y Ddraig Goch', ond ni fu'n fawr o lwyddiant gan ei fod yn gwrthod altro'r portreadau. Aeth i'r Courtauld Institute a dyfarnwyd doethuriaeth iddo, profiad a fwynhaodd yn fawr. Yna daeth y rhyfel a gwirfoddolodd fy nhad yn syth, gan aros yn y fyddin hyd at y diwedd un yn 1945. Ni chafodd ei ddyrchafu'n uwch na safle Is-gapten a bu bron iddo gael ei yrru'n ôl i lawr y rhengoedd am nad oedd wedi rhoi digon o sglein ar ei fotymau. Gwleidyddiaeth a'r Blaid Ryddfrydol oedd ei brif ddiddordebau bellach. Ni allai sefyll fel ymgeisydd yn hen etholaeth ei dad yn Sir y Fflint, er gofid iddo, gan i rywun arall feddiannu'r etholaeth yn ystod y rhyfel. Cynigiwyd Gorllewin Ealing ac yna Dwyrain Sir Ddinbych iddo yn y ddau etholiad a ddilynodd ond, er tristwch, ni lwyddodd erioed i gyrraedd San Steffan.

Roedd llawer o bethau ar gael i ddiddori Mostyn yn ddiweddarach yn ei fywyd. Fel athro yng Ngholeg Technegol Wrecsam, roedd ganddo wyliau hir, a digonedd o amser ar ôl iddo ymddeol oddi yno. Un o'r pethau a fwynhâi fwyaf oedd diflannu ar ei Vespa a theithio o gwmpas yr Alpau yn chwilio am flodau alpaidd. Mae'r rhododendronau a gasglodd yn ddyn ifanc yn parhau i dyfu ym Mhlas Penucha lle'r adeiladodd ardd gerrig fawr i'w fam. Galwedigaeth olaf Mostyn oedd bod yn ddarlledwr ar raglenni cwis. Cyrhaeddodd rownd derfynol *Brain of Britain*, yna bu'n ymgeisydd ar *Mastermind* ac wedyn yn aelod o dîm Cymru ar gyfer *Round Britain Quiz*. Roedd gan Fostyn gymaint o ddiddordebau, a chyda'i annwyl Gwen treuliodd oes hapus iawn, gan fwynhau cymaint o agweddau ar Gymru, ei thraddodiadau diwylliannol a'i chefn gwlad. Ar ôl cael ei ysbrydoli gan y gwydr canoloesol gwych yn eglwys y plwyf yng Ngresffordd, a fynychu'n rheolaidd, ysgrifennodd yr hyn a ddaeth yn llyfr safonol, *Stained Glass in North Wales*. Mae'n llyfr sy'n llawn o luniau hardd, a Mostyn a wnaeth yr holl waith ffotograffig ei hun. Heb fod yn hir ar ôl cyhoeddi'r llyfr, daeth yn Llywydd Cymdeithas Hynafiaethau Cymru am flwyddyn, rhywbeth yr oedd yn falch iawn ohono. Cadwyd Gwen yn brysur hefyd a bu'n Llywydd Cymdeithas Ryddfrydol y Merched yng Ngogledd Cymru am flynyddoedd lawer. Bu farw fy nhad yn 1986 ac fe'i claddwyd, ynghyd â Gwen, a fu farw ym 1987, yn y Ddôl, mynwent fechan y mae croes fy nhaid (Syr Herbert Lewis) yn amlwg ynddi, ar waelod y bryn yng Nghaerwys. Mae gennyf gymaint o atgofion hapus am fy nhad – pysgota'n gynnar yn y bore cyn brecwast, er mai'n anaml y byddem yn dal brithyll, rhwyfo cwch ar Afon Tafwys, pan fyddai'n fy nghymryd allan o'r ysgol, ac yntau wedi'i wisgo yn ei hen gôt law ddi-raen a'i phocedi'n orlawn – ei getyn, baco, matsys a dyn a ŵyr beth arall. Byddai ganddo bob amser ddigonedd o borc-peis a cheirios o Selfridges. Uwchlaw popeth, fe gofiaf ein taith gyda'n gilydd i'r India yn 1957. Un o brif ddibenion y daith oedd recordio caneuon gwerin Indo-Tibetaidd ar recordydd tâp a fenthycwyd i ni gan y BBC. Yn gyntaf oll, aethom i ymweld â'r orsaf genhadol Gymreig yn Aijal ym mryniau Lushai, lle cawsom groeso bendigedig a theimladwy iawn. Hen genhadwr hyfryd oedd wrth y llyw yno ac roedd yn cofio fy modryb, Kitty Idwal Jones, a fu hefyd yn genhades yno. Aethom oddi yno i Darjeeling, yna i ddyffryn pellennig Lahoul ac yn olaf i Gashmir. Roedd yn hawdd recordio gan nad oedd angen unrhyw berswâd ar y cantorion i ganu, gan eu bod oll am glywed eu lleisiau'n dod allan o'r blwch rhyfedd hwnnw! Roedd y BBC yn falch iawn o'n tapiau ac wedyn fe gefais gynnig swydd yn y Gorfforaeth. Fi oedd y drydedd genhedlaeth o gasglwyr!

(iii) Wyrcws Treffynnon gan Ieuan ap Siôn

Ganed fy nhaid, William Meredith Williams, yn 1889. Magwyd ef a'i rieni yn Llanasa, Sir y Fflint. Pan briododd fy nain, Jane, symudodd y ddau i fyw i Ben-y-ffordd, ger Treffynnon. Bu taid yn ffermio a chigydda ar hyd ei oes. Byddai wrth ei fodd yn adrodd storïau am yr ardal a chofio hen ganeuon. Roedd yn hoff o ganu gwerin a chofiai deithio o gwmpas y fro yn canu 'Cadi Ha'. Ceir tapiau ohono'n hel atgofion yn archifau'r Amgueddfa Werin yn Sain Ffagan. Cawsant eu recordio yn y chwe degau pan oeddwn yn ddisgybl yn Ysgol Uwchradd Treffynnon.

Pan oeddwn i'n blentyn ifanc, byddwn yn galw heibio i'r tŷ ym Mhen-y-ffordd a byddai taid bob amser yn canu pwt o gân. Ni sylweddolais ar y pryd pa mor hanfodol oedd cofio a chofnodi'r caneuon hynny cyn iddynt fynd yn angof. Gwaetha'r modd, erbyn i mi wir sylweddoli hynny, roedd taid druan yn dioddef o ganser y gwddw a methai ganu'r un nodyn mwyach. Serch hynny, llwyddais i gofio ychydig o'i ganeuon lleol megis 'Cwrw Da' a 'Pont y Foryd'. Cofiaf gystadlu am Wobr Goffa Lady Herbert Lewis yn un o eisteddfodau cenedlaethol y saith degau. Cefais fy niarddel o'r gystadleuaeth am nad oedd y gân wedi ei thrawsysgrifio. O leiaf, fe genais un o ganeuon anfarwol taid o flaen cynulleidfa deilwng yn y rhagbrawf. Roedd hynny'n ddigon o wefr i mi! Mae'n debyg mai cenhedlaeth fy nhaid oedd y cyfle olaf un i ddarganfod unrhyw ganeuon traddodiadol 'newydd' o'r ardal hon.

Magwyd fi o fewn tafliad carreg i'r hen wyrcws yn Nhreffynnon lle recordiodd Lady Herbert nifer helaeth o ganeuon yr ardal. Bu cysylltiad agos rhwng fy nheulu a'r wyrcws ar draws y blynyddoedd. Felly, clywn storiâu lu am fywyd, gwaith a chymeriadau'r wyrcws. Yn 1913, ychwanegwyd adain ysbyty i'r wyrcws ac o Ebrill 1917 hyd Ionawr 1919, defnyddiwyd yr ysbyty i dendio oddeutu 500 o gleifion milwrol y Rhyfel Byd Cyntaf. Anrhydeddwyd fy hen nain, Jane Williams, gan y Brenin Siôr V1 am nyrsio yn y ffosydd. Yna, yn 1918, fe'i dyrchafwyd yn Fetron yr ysbyty. Yn 1948, trosglwyddwyd yr adeilad i'r Gwasanaeth Iechyd Cenedlaethol o dan yr enw Ysbyty Cyffredinol Lluesty. Yn ystod y cyfnod hwnnw, bu fy nhad a mam – John David ac Elizabeth Louisa Marsden – yn gweithio yno. Bûm innau hefyd yn gweithio yno yn ystod fy ngwyliau coleg. Caewyd yr ysbyty yn 2008.

Cofiaf fy nhaid yn sôn am ddwy wraig hen iawn a aned cyn Oes Victoria ac a breswyliai yn y wyrcws. Dwy chwaer oeddent – Jane Williams* a Hannah. Er nad oedd yr un o'r ddwy yn medru darllen nac ysgrifennu, roedd cof geiriau ac alawon y ddwy yn rhyfeddol. Yn ôl y stori, cofient lu o ganeuon eu mam a'u neiniau. Roedd eu *repertoire* hefyd yn cynnwys baledi a glywsant yn y ffeiriau a'r marchnadoedd lleol a chaneuon morwyr dociau Mostyn. Yn ôl taid, Hannah ('Hannah Traed-moch') oedd y gantores orau o'r ddwy o bell ffordd. Fodd bynnag, gan ei bod yn meddwi a chan fod ei haraith yn anfoesgar, o barch at statws Lady Herbert Lewis, penderfynodd y swyddogion guddio Hannah o'i golwg. Felly, Jane a recordiodd y caneuon i ffonograff Lady Herbert. Fe wyddwn am hyn pan oeddwn yn blentyn, ond ni wyddwn enw'r gantores. Fel cyd-ddigwyddiad, Jane Williams oedd enw fy nain hefyd!

Erbyn y 1990au, roeddwn yn ymddiddori'n ddwfn yn nhraddodiad canu gwerin Sir y Fflint. Nid rhyfedd felly imi fynychu darlith Saesneg ar ganu gwerin Cymreig ym Mhlas Penucha. Athro o Brifysgol Lerpwl oedd yn traddodi ac wrth gloi dywedodd – wedi cryn ddyrio – iddo ddarganfod rhai o hen ddisgiau ffonograff Lady Herbert yn Amgueddfa Sain Ffagan. Er mawr syndod imi, chwaraeodd un i'r gynulleidfa. Ni allwn gredu fy mod yn clywed llais Jane Williams o'r diwedd a minnau wedi clywed y fath sôn amdani gan fy nhaid annwyl flynyddoedd maith yn ôl! Er i mi ei 'hadnabod' ar hyd fy oes, dyma oedd y tro cyntaf imi glywed ei llais! Roedd hwn yn ddigwyddiad cofiadwy ac emosiynol iawn i mi.

Cofiaf arwain criw o'm cyfeillion o gwmpas Caerwys ryw fis Mai yn y saith degau i ganu 'Cadi Ha'. Yn naturiol ddigon, fe gyrhaeddon ni Blas Penucha, cartref y ddiweddar Lady Ruth Herbert Lewis, yn ein dillad gwynion a'n blodau melyn. Yng nghanol ein hwyl a'n sŵn a'n rhialtwch arferol, fe gurais y drws. Nest, wyres Lady Herbert, a agorodd y drws. 'Gwitiwch am funud', meddai, 'mi a' i i nôl Mam'. Daeth Kitty Idwal i'r drws. Roedd yn wraig ddiwylliedig a chroesawgar iawn ac, yn wahanol i'w mam, siaradai Gymraeg yn rhugl. 'O, canwch nene eto!', meddai hi a'r dagrau'n llifo i lawr ei gruddiau. 'Dw i heb weld y Cadi Ha's ers talwm. Yn Ffynnongroyw y gweles i nhw ddwetha. Diolch.' Cofiaf hyd heddiw'r wên ar ei hwyneb a'r llawenydd yn ei llygaid.

---

* Cyhoeddwyd chwech o ganeuon Jane Williams, Treffynnon, yng nghasgliadau Ruth Herbert Lewis, pump yn y casgliad cyntaf (1914) ac un yn yr ail (1934), ond mae'n debyg iddi recordio mwy. Ceir ysgrif gan David R. Jones, 'Jane Williams, Holywell' yn *Canu Gwerin* 27 (2004), 48-60. Dywedir yno (ar dud. 58), '... beginning in August 1911 and continuing until January 1915, Ruth Lewis visited Jane Williams at the Holywell Workhouse on a number of occasions, during which she recorded her singing over two dozen folk-songs'.

Yn ôl erthygl David Jones, t. 54, bu farw Hannah Salisbury, chwaer Jane Williams, yn 91 oed ar 13 Ionawr 1911 – cofnodir hynny yng nghofrestr marwolaethau'r wyrcws. Yn Awst 1911 y daeth Ruth Lewis i'r wyrcws i recordio.

Er iddi ddechrau defnyddio'r ffonograff yn Hydref 1910, ni fu'n recordio Hannah. Mae'n debyg fod gan Hannah stôr o ganeuon, mwy na'i chwaer hyd yn oed, yn ôl tystiolaeth Dr John Owen Jones (1863-1931), un o swyddogion meddygol y wyrcws, a oedd yn gyfrifol am gyflwyno Jane Williams i Ruth Lewis.